D1484196

JOIEFOLIEHAINEDOULEURCOLÈREDÉGOÛTDÉSIRDOULEUREGOÏSMEFIERTÉFAIBLESSEFOLIEHAINEHONTEAMOURJALOUSIEJOIEPASSIONPEINEPEURREGRETRÉVOLTESOLITUDETENDRESSETIMIDITÉTRISTESSEVENGEANCEAMOURCOLÈREDÉGOÛTDÉSIRDOULEUREGOÏSMECOLÈREFIERTÉJOIE

**Toutes les ÉMOTIONS
dans une collection**

Sur une idée d'**Alain Grousset**

JE RENAÎTRAI DE VOS CENDRES

© Flammarion, 2012
87, quai Panhard et Levassor – 75647 Paris Cedex 13
ISBN : 978-2-0812-4391-0

Elisabeth Brami

JE RENAÎTRAI DE VOS CENDRES

Flammarion

*Pour les adolescents en colère
qui se demandent ce qu'ils font là
et si ça vaut la peine.*

*« Quand on est sorti de l'enfance, il n'y a pas moyen
d'aller quelque part sans s'écœurer. »*
Réjean Ducharme, *Le Nez qui voque*

*« Un livre est un grand cimetière où sur la plupart des
tombes on ne peut plus lire les noms effacés. »*
Marcel Proust, *À la recherche du temps perdu*

Ceci est mon journal, mais je vais essayer de l'écrire comme un roman. Ça vous énerve ? Tant pis ! Je ne vous ai pas demandé de le lire. Si vous le lisez, c'est que vous m'avez volé mon cahier, que vous avez violé mon intimité. Alors, dégagez ! Refermez ce cahier ou bien, comme on dit :
« Merde à celui qui le lira ! »

Si je décide d'écrire, ce n'est pas que ma vie soit plus intéressante que celle des Zautres, ni que je sois prétentieuse au point de me prendre pour une écrivaine. Non, c'est pour survivre. Pour supporter ma Terminale, en espérant que ce sera la dernière pire année de ma vie scolaire, de ma vie tout court. Que cela me permettra de m'en souvenir plus tard. Au cas où j'aurais un « plus tard ».

Si je décide d'écrire, c'est que je tiens encore à y croire, à ce « plus tard », et que je ne suis pas modeste du tout, bien que je me sente la dernière des nulles.

Si je décide d'écrire, c'est pour m'en sortir, pour mettre dans ces pages le plus vrai de moi – je n'ai pas dit « le meilleur ». C'est pour y jeter en vrac toutes mes contradictions, essayer de faire le tri.

J'en profiterai pour noter les citations que j'aime et qui m'aident à me sentir moins seule. Je recopierai aussi les textes que j'écris au jour le jour, lorsqu'ils ne seront pas trop lamentables.

J'ai tellement de mal à supporter qui je suis, que vomir mes tripes dans ce cahier à spirales me fera peut-être du bien, même si, à la minute où je trace ces lignes, mon futur me semble improbable, et l'horizon de mon avenir, d'un noir parfait.

J'espère qu'un jour, dans très longtemps, je ne sais pas quand, je saurai relire ce cahier avec étonnement et sympathie pour la fille bancale que je suis aujourd'hui. Sans me moquer.

J'espère que je saurai sourire en reconnaissant la Shosha de 17 ans ; que je ne ricanerai pas bêtement comme tous les adultes amnésiques de leur enfance, que je ne cracherai pas comme eux sur mon adolescence, que je n'aurai pas trahi mes serments de jeunesse.

Moi, Shosha, je le jure : je crois à ma colère et à mon écriture. Faut bien croire en quelque chose, sinon tu crèves.

Surtout l'année du bac !

le 12 octobre 2004
Place de la Jamais-Contente
(notre nouvelle adresse me va comme un gant !)

Chapitre premier

LA VIE MALGRÉ SOI

« Je suis toujours indignée de l'injustice qu'on a eu de nous faire naître sans notre consentement... »
Mme du Deffand, 27 février 1771, *Lettres*

« Je ne me pardonne pas d'être né. »
Cioran, *De l'inconvénient d'être né*

Si c'était à refaire, je ne naîtrais pas. Je refuserais. Trop épuisante, la vie.

Qu'est-ce qui m'a pris de m'accrocher comme ça à l'utérus de ma mère ? Était-ce si confortable là-dedans, au fond du trou, pour que j'y squatte pendant neuf mois ?

Normalement, j'aurais jamais dû y rester. Je suis une pauvre bébé qu'on souhaitait morte avant qu'elle vive. Enfin... plus exactement, une bébé qu'on voulait liquider, une immigrée clandestine infiltrée en douce, une future fille qui a survécu par miracle à toutes les tentatives d'expulsion à répétition perpétrées contre elle. Une incrustée de force.

Voilà : je suis une rescapée et je tiens au féminin de bébé !

« *Si j'aurais su, j'aurais pas venu* », disait Tigibus dans *La Guerre des boutons,* un vieux film de chez mamie, quand j'étais petite.

Je me demande pourquoi j'ai tant insisté pour exister.

Pourquoi j'ai tenu à accompagner ma mère au bout de sa grossesse sans la planter dans une mare de sang.

Pourquoi j'ai tellement voulu naître, moi, le corps étranger, le haricot rouge gluant qu'on n'attendait pas, qu'on ne voulait pas connaître !

Moi, le secret de Polichinelle dans le tiroir de ma mère. Le cadeau bonus de sa pochette-surprise.

Bref, c'est pas marrant de naître... et de n'être que la preuve d'un échec
le résultat en chair et en os d'un regret
une erreur de jeunesse.

Même si on vous a juré qu'à la base, il y avait un « vrai coup de foudre », le début d'une « belle histoire d'amour ». Ce qui n'est pas faux puisqu'ils sont encore ensemble mes parents, fait devenu rarissime !

N'empêche, ma mère, quand elle a appris qu'elle venait de « tomber enceinte », elle n'a pas du tout été d'accord ! Elle n'a rien dit à mon (futur) père :

« Pas question d'avoir un bébé à ce moment-là, tu comprends, ma Shosh'... »

Comme si je pouvais être d'accord là-dessus avec elle ! J'avais voulu lui demander : « Mam', c'est quand qu'on sait que c'est le bon moment pour avoir un bébé ? » mais je n'avais pas osé. J'avais sept ans et ça me faisait déjà un drôle de choc de l'entendre me dire qu'elle n'avait pas voulu de moi, que j'étais née malgré tous les trucs barbares qu'elle avait faits dans le dos de mon père pour que je disparaisse, hop ! ni vu ni connu, de la surface de la Terre. Heureusement que je suis « son portrait craché » à mon père (même si son pif n'est pas exactement un cadeau !) sinon, j'aurais grave des doutes à ce sujet-là aussi !

Depuis cette époque, ce genre de scoop qui tue ne m'étonne plus de la part de ma mère. J'ai pris l'habitude avec elle. Elle m'en a balancé régulièrement à la figure toute mon enfance, sous prétexte que, selon son principe d'éducation, il faut « TOUT dire aux enfants ». Ce qui signifie ne leur épargner aucun film d'horreur sur la famille, aucun détail qui tue – moi, j'appelle ça de la cruauté mentale, du sadisme qui se donne bonne conscience. Même si je ne suis pas comme mon père, pour le silence et les secrets de famille. Parce que lui, c'est tout le contraire de ma mère : il n'a jamais été partisan de « Tout dire », loin de là !! Lui, c'est le roi du : « Chérie, fais attention à ce que tu dis, il y a des petites oreilles qui traînent ! » Combien de fois j'ai surpris cette phrase en passant dans le couloir de la chambre des parents, ou tard le soir, quand ils discutaient sur le canapé et que je me levais pour aller faire pipi ! Mon père, en général et sauf exception, c'est le champion des cadavres dans le placard, des cachotteries entassées en tranches pourrissantes de génération en génération, du « motus et bouche cousue » censé protéger l'enfance innocente.

À mon avis, ce n'est pas mieux de confisquer toute la vérité à un enfant et de la garder pour soi. Surtout quand cette vérité, paraît-il pas bonne à dire, le concerne, lui, son identité, son histoire, et que donc, elle lui appartient. Elle doit lui revenir en héritage.

C'est comme ça que je me retrouve avec un sacré buisson de ronces impénétrable en guise d'arbre généalogique. Ça n'a pas du tout l'air de les gêner.

Donc, le fameux jour du scoop sur mon arrivée indésirable, lorsque j'ai compris que j'étais venue comme un cheveu sur la soupe dans l'utérus de ma mère, à cheval sur un spermatozoïde échappé, et que j'avais foutu la merde dans la jeune vie de mes si jeunes parents, j'ai dû faire la tronche, pas de doute.

Pourtant, Maman n'en a tenu aucun compte : malgré les quatre vérités qu'elle venait de m'asséner l'air de rien et qui me dégringolaient dessus, elle a continué à m'expliquer en long, en large et en travers, tout ce qu'elle avait entrepris pour :

– m'éjecter ;

– dégager ce truc de trop dans son ventre ;

– virer la sangsue visqueuse qui l'aspirait du dedans ;

– décrocher le fœtus planqué qui prenait racine ;

– se débarrasser du bébé vampire qui voulait lui bouffer sa jeunesse.

Et comment elle s'était activée par tous ses pauvres moyens d'étudiante fauchée, affolée et complètement ignare en contraception pour accélérer mon déménagement et me faire « sauter » :

– en sautant à la corde, justement, comme un boxeur à l'entraînement,

– en faisant exprès un roulé-boulé dans les escaliers de l'immeuble sous le nez de la concierge ahurie,

– en ingurgitant des potions magiques dégueu et des décoctions de plantes fétides,

– en s'infligeant des lavements décapants à tordre les boyaux d'une machine à laver,

... Et autres trucs atroces que j'ignore, sans toutefois s'être laissé embrocher par l'aiguille à tricoter d'une avorteuse dite « faiseuse d'anges » « Ce n'était plus l'époque et puis, y a des limites à l'héroïsme. Je ne voulais pas en crever. D'avoir fait l'amour trois fois avec ton père ne méritait pas un tel châtiment, non ? », elle avait conclu.

J'en étais restée sans voix. J'ai toujours eu horreur de ce genre de détails dégoûtants sur la sexualité des adultes, surtout quand il s'agit de mes parents, comme de l'expression « faire l'amour ». En plus, je ne comprenais pas tout ce qu'elle me disait. À l'âge que j'avais, en primaire, le fonctionnement des règles, ou même leur existence me passaient au-dessus de la tête. Mes copines se chuchotaient des trucs à propos du sang noir qui vous sortait par en bas, pas le trou du pipi, mais un autre, et tous les mois, en plus. Et des petites graines en forme de têtards chez les gars qui s'introduisaient des fois dans les œufs des femmes. Que des choses bizarres et franchement grotesques, dont je ne voyais pas trop à quoi elles correspondaient. Ça avait l'air plutôt dangereux, l'amour...

En ce temps-là, on n'allait pas sur Google. Dans le dictionnaire, à « règles », j'avais cherché des réponses à mes questions, et je n'avais rien trouvé de plus que : « Règle : instrument droit et plat pour tirer des lignes. » Ça ne parlait que de maté-riel de mesures et de calculs. Est-ce que c'est pour ça que j'ai toujours été allergique aux maths ?

Bref, à force d'écouter ma mère me raconter les origines de ma création, voilà que tout à coup, je m'étais sentie coupable, alors que j'avais rien fait ! Coupable d'avoir été une sale bébé ventouse, qui avait risqué de la tuer. Alors qu'en fait, c'était elle qui avait souhaité ma mort !

Heureusement que sa peur d'avorter a réussi à sauver nos deux peaux. Même si, de la mienne, elle se serait bien passée... (et moi aussi !)

Longtemps ensuite, et peut-être jusqu'à aujourd'hui, je me suis reproché d'être venue au monde et de lui avoir saccagé sa vie, à ma mère. Pourtant, je sais qu'elle m'aime, tout comme mon père. Mais il reste une sorte d'ombre pas nette autour de cette affaire. Comme chez des parents qui auraient adopté un enfant, se seraient retrouvés avec un pas-exactement-de-leurs-rêves, et qui, déçus, n'osant l'avouer à personne et surtout pas se l'avouer à eux-mêmes, feraient d'énormes efforts pour l'aimer plus, encore plus, et le montrer trop, beaucoup trop pour être honnêtes.

Évidemment, Maman avait fini par mettre mon père au courant de sa grossesse puisque je ne voulais rien entendre pour dégager, que les délais d'avortement légal étaient archidépassés, et que rien n'avait marché pour me renvoyer là d'où je venais, c'est-à-dire du néant. Ensuite, elle m'avait expliqué que si elle s'était fait bêtement avoir en essayant de jeter son fœtus à la trappe, c'était pour échapper à un drame avec sa mère, et elle m'avait affirmé que jamais une telle situation ne m'arriverait, à moi, sa fille, qu'elle ferait tout pour que je ne sois pas aussi stupide qu'elle. Elle m'avait fait promettre que j'aurais toujours confiance en elle, que je n'hésiterais pas à me confier si j'avais un jour un pareil problème. Gênée, j'avais promis.

En veine d'explications, elle avait continué à se disculper : les parents de mon père et sa mère à elle étaient encore sur leur dos et à l'affût de leurs études, les deux familles refusaient qu'ils se fréquentent n'étant pas du même milieu. Bref, il n'était pas question que leurs fils et fille s'installent ensemble et encore moins qu'ils fassent un bébé comme deux écervelés, deux irresponsables incapables de subvenir à leurs besoins !

Pourtant, mon (futur) père avait été tout ému et satisfait d'apprendre qu'il était trop tard pour me déloger de ma grotte préhistorique : il serait papa à 21 ans (il a un an de moins que ma mère) et ça le rendait fier, et tant pis pour la famille ! De toute façon, mon père et ma mère étaient amoureux. C'était du sérieux.

Voilà comment j'ai accéléré leur mariage, les ai obligés à s'imposer et s'opposer à des parents furieux, puis à assurer de leur mieux dans la vie quotidienne, tout en poursuivant leurs études. Ça mérite sans doute des applaudissements, mais j'ai toujours du mal à admettre que je ne suis que le résidu

   – d'une pilule oubliée ;
   – d'une capote percée ;
   – le fruit défendu, le fruit du hasard ;
   – une charrue avant les bœufs ;
   – une bébé tombée du ciel ;
   – celle née par erreur, par effraction ;
   – celle qu'on ne voulait pas.

C'est comme ça que je suis venue : de force.
J'ai toujours été trop têtue. Ça m'apprendra !

L'accident

Je suis tombée dans la vie par accident
Une erreur de ce qu'on appelle des parents
Quand j'y pense, j'en ai des frissons,
Je me sens comme un nourrisson
Il m'arrive d'avoir mal au cœur
De ressentir comme une douleur
Non, ma vie ce n'est pas la gloire
Encore et toujours dans le noir
D'une origine peu reluisante
Que je rejette et qui me hante

12 octobre 2004

Chapitre deux

NAÎTRE OU NE PAS NAÎTRE

*« Il me semblait que j'étais là par erreur, en sursis,
par une sorte de distraction, ou de ruse du destin.
J'étais au monde par oubli, et, très vite,
très tôt, je n'ai rien attendu. »*
Jean d'Ormesson, *Casimir mène la grande vie*

*« J'aimerais être libre, éperdument libre.
Libre comme un mort-né. »*
Cioran, *De l'inconvénient d'être né*

À la fin, comme toutes ses tentatives d'avortement avaient échoué, ma (future) mère a accepté de m'« avoir ». Enfin... de m'emporter à la clinique dans son gros ventre. Difficile de refuser la livraison d'un Colissimo avec accusé de réception. Plouf ! elle m'a évacuée dans le monde. À moi de me débrouiller. Je sais, il faudrait dire « m'a mise au monde » mais c'est trop doux. « Éjectée » serait plus juste. Et puis, j'ai passé l'âge de croire aux cigognes, aux roses et aux choux. Je sais qu'un accouchement n'est pas une partie de plaisir !

Quand j'ai senti, ce matin-là, des muscles qui durcissaient, me comprimaient tout entière, m'oppressaient et me serraient partout autour, des pieds à la tête, il a bien fallu que j'accepte de sortir de mon trou, bien fallu qu'on m'extraie, qu'on me récupère au-dehors. J'ai eu beau m'accrocher, pas eu vraiment le choix : c'était soit la vie soit la mort.

Pourtant, j'étais si bien là-dedans, à évoluer en apesanteur comme une cosmonaute au bout de son cordon...

À la sortie du tunnel, il y avait du monde. Le Monde et la lumière artificielle m'ont tout de suite agressée, et le froid, et le bruit. Et on m'a mis la tête en bas comme un lapin qu'on vient d'écorcher. Pas eu besoin de me taper sur les fesses pour que je me mette à hurler. À fond les poumons. Bienvenue au pays des vivants !

« Elle a déjà une voix de diva d'opéra, ça promet ! » a diagnostiqué l'accoucheur en me posant, toute visqueuse, sur la poitrine maigre de ma jeune mère.

C'est comme ça que je suis sortie de mon aventure sous-marine. Bien obligée. Et accueillie par deux parents tout de suite gagas de moi. C'est toujours ça !

Ils m'ont raconté la suite.

Derrière les lamelles en plastique des stores de la clinique, la pleine lune s'est soudain drapée de nuages noirs, et un énorme orage a explosé, suivi de trombes d'eau. Orage et rage : c'est tout moi !

Mais, naître, pour quoi faire ?

En moi, depuis ce jour, il y a quelque chose qui n'est pas d'accord. Quelque chose qui n'est d'accord avec rien. Quelque chose qui ne veut ni apprendre ni savoir. Ou plutôt qui voudrait savoir ce qu'on ne veut pas lui apprendre, qu'on ne veut pas qu'elle sache. Un désaccord définitif, irrécupérable, incurable. Une colère à vie (ou à mort) qui me fait bouillir ou bouillonner à l'intérieur et ne veut pas qu'on tente de la calmer. Il suffit que quelqu'un me dise « pas la peine de t'énerver ! », pour que ça me rende doublement furieuse et que j'éclate encore pire !

Et puis, savoir quoi et pour quoi faire ? J'ai déjà assez de mal avec le présent de ma vie, alors le passé... les dossiers de famille...

Depuis toujours, je me fous des cours d'histoire comme de l'an 40, c'est le cas de le dire ! et de « nos ancêtres les Gaulois » encore plus. Je ne vois pas ce que j'ai à faire avec ces gens-là.

Je me fous aussi éperdument des cours de géo, car l'invention des frontières m'horripile et leur tracé me paraît aussi nauséabond que pathétique de la part de ceux qui se sont permis de décider que telle parcelle de terrain leur appartenait en la piquant à d'autres. Les frontières, faudrait les tracer en rouge grenat, sur les cartes, avec le sang versé et coagulé des millions de pauvres types qui, depuis la nuit des temps, en a dessiné les contours à grands jets d'hémoglobine.

En moi, il y a une voix qui crie, qui hurle, qui exige la vérité. Mais quelle vérité ? Cette voix, elle refuse d'admettre ce qu'on voudrait lui faire passer pour important, pour essentiel, alors qu'il ne s'agit que d'une grosse farce où chacun maquille, comme il peut, les réponses vraies aux questions que je n'en peux plus de poser. Le manque de courage et d'honnêteté de mes parents et de ma famille m'écœure et me sidère. Parfois, je me demande si je serais si heureuse et si soulagée que cela de la connaître, LA vérité forcément pourrie que je recherche. Et puis, si, je me faisais des films ? Si, en fait, il y avait rien de bien intéressant à savoir ? Un grand silence pour trois fois rien. Une crotte de chat enterrée plus par bêtise que par préméditation...

Au CDI, en préparant ma dissert', je suis tombée sur un très ancien livre de philo qui parle de psychologie. Au chapitre « Émotion », j'ai trouvé mon portrait craché dans le paragraphe qui décrit la colère. Incroyable !

C'est comme si l'auteur me voyait venir. Et pourtant, il a écrit son manuel en 1948 : même Maman n'était pas née !

« *La colère active s'exprime par la contraction violente des sourciliers, les dents serrées, la fixité du regard, le gonflement des veines du cou. Ces réactions résultent en partie d'une surabondance d'énergie par où la colère s'apparente à la joie, mais avec quelque chose d'âpre, de tendu, que la joie ignore.* »

Et ça continue comme ça avec :

« *les poings qui se ferment, les pieds qui frappent le sol, les dents qui se serrent ou ne s'ouvrent que pour laisser échapper des menaces...* »

Moi qui me croyais exceptionnelle !

Ça m'a fait rire et réfléchir. Surtout cette comparaison étonnante entre la colère et la joie. Je n'y aurais jamais pensé, et pourtant, je sens qu'il y a quelque chose de vrai là-dedans...

Ma colère me donne de la joie, une sorte de joie mauvaise.

Ma colère me porte et m'emporte loin de moi. Elle me donne une force qui vient du plus profond de mon corps, du fond des ténèbres de mon esprit (ou de mon âme, si j'en ai une !) une force qui me fait du bien quand elle monte, monte dans l'ivresse, et me laisse malade de tristesse quand elle redescend et s'évanouit. Comme quand on s'est éclaté sur la grande roue des Tuileries et qu'elle stoppe, ses tours terminés. Comme quand, après la joie d'une fête, on se retrouve dans le vide, le néant, le tragique du rien. Un gouffre de malheur.

Ma colère, c'est mon moteur, un fil d'Ariane pour sortir de mon labyrinthe intérieur. Mais est-ce que je veux réellement en sortir ? Pour quoi faire ? Est-ce la peur qui me bloque ?

Naître et y mettre toutes ses forces de bébé parce qu'on se croit capable de convaincre le monde entier qu'on va être l'unique, l'adorable, l'indispensable, l'enfant rêvé ?

Naître et forcer le destin parce qu'on a la prétentieuse illusion qu'on fera craquer les gens, qu'on saura les faire fondre de tendresse entre deux rots de biberon en braillant des : « aimez-moi ! » irrésistibles ?

Débile. Débile. Débile !!

Il faut vraiment que j'aie été une nourrissonne mégalo. Et je suis sûre, en plus, que le féminin de ce mot n'existe même pas.

Je suis en Terminale et je n'ai pas changé. Colère intacte. Colère de naissance.

C'est grave, docteur ?

Rien

Je n'aime rien
Je ne fais rien
J'ai de la peine
Plein plein

On me demande de préciser
De raconter et d'expliquer
Pourquoi j'ai l'air si renfrogné
Les profs me renvoient de leurs cours
Mon travail n'est jamais à jour

Je n'aime rien
Je ne fais rien
J'ai de la peine
Plein plein
Et râler, ça me fait du bien

13 octobre 2004

Chapitre trois

HORS DE MOI

« *On envoie d'abord les enfants à l'école, non dans l'intention qu'ils apprennent quelque chose, mais afin qu'ils s'y habituent à demeurer tranquillement assis à observer ponctuellement ce qu'on leur ordonne.* »
Kant, *Traité de pédagogie*

« *... voici la rentrée qui r'arrive avec son air emmerdé et guindé. Enfin, merde de chien pour elle.* »
Flaubert, *Drôle de monde que ma tête*

« Shosha ? Elle est née en colère », dit ma mère. J'entends ça depuis ma naissance. Ça a surtout commencé en maternelle.

Comme dans un brouillard, me remontent à la gorge ces atroces matins d'école où je m'accrochais, désespérée et hurlante, à la rampe du bas de l'escalier, pour ne pas aller dans la classe des « moyens-grands ».

Je ne voulais pas qu'on me retire mes baskets.

Je ne voulais pas me retrouver en chaussettes.

Je ne voulais pas être arrachée à Maman.

Je ne voulais pas être jetée au milieu de tous ces enfants.

Je ne voulais pas être privée de mon doudou.

Je ne voulais pas de ça, pas de ça du tout !

Pas de ça.

Pas de ça !

À la rigueur, j'aurais bien consenti à faire un petit effort pour accepter ce marché de dupes, mais aucun adulte ne cherchait à comprendre la raison de mes sanglots. Aucun ne se penchait sur moi pour m'écouter... Ils étaient juste exaspérés de me voir chaque matin me débattre comme une forcenée. Ça les énervait de ne pas savoir quoi inventer pour me faire entrer dans le rang. Je les emmerdais de toute ma petite personne de trois ans, et ils n'y pouvaient rien. Impuissants face à mon refus obstiné, ils devenaient progressivement violents, d'abord verbalement puis physiquement. La directrice mielleuse se mettant à vitupérer. Elle me tirait par les bras, les jambes, cherchait à desserrer de force les doigts crispés de cette récalcitrante haute comme trois pommes qui osait lui tenir tête, à elle et à la loi de l'école.

Et moi, prête à tout et à n'importe quel prix, je continuais à m'opposer à leurs ordres, à leur bon ordre établi. Je refusais d'obéir. J'étais prête à crever, plutôt que de collaborer avec l'ennemi.

De m'écouter hurler, ça me rassurait. Mes cris m'emplissaient, irriguaient mon corps. Tant que je hurlais et combattais, je restais vivante.

Aujourd'hui encore, à 17 ans, il m'arrive de ressentir la même force de révolte aveugle et gigantesque que celle qui s'emparait de moi, alors. Cette force qui pousse sans doute tous les gens sans espoir à s'envoler un jour par une fenêtre ouverte après avoir donné à la vie leur langue au chat.

Un jour, vers l'âge de cinq ans, j'ai même fait la grève de la parole et de la faim. Une histoire de poupée de la classe qu'il me fallait absolument prendre dans mes bras pour me consoler. Mais une fille me l'avait piquée sous le nez. La maîtresse, nous voyant nous l'arracher, avait cru équitable de jouer le jugement de Salomon, et, sous prétexte que j'étais « plus grande, plus raisonnable, celle qui devait servir d'exemple », elle avait donné la préférence et la poupée à l'autre fille. J'avais protesté à grand renfort de cris et de larmes, déclaré « c'est pas juste ! » en me collant le poing sous le menton... rien n'y avait fait ! D'après la maîtresse et sa si grande bonne foi, j'étais censée céder : ainsi, grâce à mon geste magnanime, la poupée ne risquerait pas de subir un sort atroce et finir désarticulée dans la dispute. Je devais lui faire confiance : le lendemain, promis, ce serait moi qui aurais la poupée en priorité.

Ses arguments qui cherchaient à me vaincre et à me convaincre en me laissant miroiter un avenir d'héroïne ne m'avaient pas fait céder du terrain. Manipulée, rejetée et menée en bateau, je n'étais pas dupe. C'était trop ! Alors, de rage, j'avais dit non à tout :
  – non à la brique de lait de 10 heures
  – non au biscuit écrabouillé sous sa Cellophane
  – non à toutes les activités du matin
  – non au déjeuner de la cantine malgré ma faim
  – je n'avais participé à aucun jeu dans la cour
  – répondu à personne
  – fait la gueule à tout le monde
  – gardé un beau silence rageur
  – et même ravalé mes larmes.

De pauvres crétins en salopette étaient venus me narguer avec leur « elle fait du boudin » et cela avait décuplé la force intérieure qui m'emplissait le corps et enflait méchamment. Pas question de baisser la garde ! J'étais devenue invincible. Toute-puissante. Je me découvrais des pouvoirs illimités. Bref, j'étais en boule : une vraie petite boule de hérisson, et la colère me tenait chaud, la fierté de mon noble combat me faisait crâner, redresser la tête haute et être sourde aux crampes de mon petit estomac.

La satisfaction que j'avais ressentie à rester stoïque et muette face aux vaines tentatives des adultes qui se relayaient pour me faire céder, m'est resté inoubliable.

Pour une fois, « l'heure des mamans » avait sonné, et c'était mon papa qui s'était pointé. J'étais à deux doigts du KO mais sauvée par le gong, quand, totalement à bout de forces et affamée, j'avais pu enfin me lancer la tête la première dans le hall à sa rencontre, m'agripper à ses hautes jambes et m'effondrer.

Vite déblayées, les explications lapidaires de la directrice sur mon comportement soi-disant impossible, incompréhensible, inadmissible, plein de mots terribles en « ible » qui faisaient de moi sa cible. Mon père avait vaguement écouté les récriminations directoriales, puis d'un geste chevaleresque, avait mis un genou à terre et m'avait juchée à califourchon sur ses larges épaules. Hue dada ! Une chance que ce soit lui qui soit venu me chercher ce jour-là, parce qu'avec Maman, l'histoire aurait pris des proportions nettement plus dramatiques.

Quand j'étais petite, la vie m'esquintait grave déjà, et déjà je me demandais pourquoi.
Pourquoi les autres ne réagissaient pas ?

Pourquoi ils semblaient ne se méfier de rien ?
Pourquoi ils ne voyaient pas l'horreur des choses ?
Pourquoi ils encaissaient tout sans broncher ?

Rien que de m'en souvenir à présent, de mes terribles débuts à la maternelle, j'en ai le souffle coupé, une terreur s'empare de moi, monte dans mon ventre, plus forte que ma raison. Je me rappelle du trajet, le matin de la maison à l'école et le soir de l'école à la maison, où, malgré la main de Maman attrapant la mienne, j'avais peur, le cœur à mille à l'heure, qu'un immense pied, obscurcissant le ciel, ne s'abatte sur la rue, les maisons, les voitures et nous écrase ; que la nuit tombe en plein jour, comme à New York le jour du 11 septembre. Un fracas inouï suivi d'un silence de mort dans les monceaux de gravas. Au comble du film que je me faisais, il m'arrivait de lâcher d'un coup, la main de Maman qui se mettait à m'engueuler, incapable de comprendre que sa fille voulait, en fait, la sauver d'une attaque « divine ». Je pensais qu'en la laissant libre de ses mouvements, je lui permettais de fuir toute seule, plutôt que d'être ralentie dans sa course par une enfant trottinant à pas minuscules, son cartable-carapace sur le dos. Mais comment un adulte pourrait-il se douter que son enfant veut lui sauver la vie ?

Au passage de l'école primaire, je n'ai rien compris non plus. Tout devenait de plus en plus grave. Ça ne rigolait pas ! Pourtant, on aurait pu encore être un peu insouciant, avoir le droit de patouiller joyeusement dans la pâte à sel, faire de la peinture à doigts bien dégoulinante.

Mais les autres étaient tous devenus de bons petits soldats. Eux, ils obéissaient. Pas moi.

Levez-vous. Ils se levaient.
Asseyez-vous. Ils s'asseyaient,
Prenez une feuille. Ils la prenaient.
Répondez aux questions. Ils accouraient.
Écrivez. Ils écrivaient.
Rendez la feuille. Ils la rendaient.
Venez au tableau. Ils venaient.
Récitez par cœur. Ils récitaient.
Une sale note ? Ils l'encaissaient.
Sortez en récré. Ils sortaient.
En rang par deux
Comme des pions alignés.

« Et je ne veux voir qu'une seule tête », hurlait le maître de CE2 qui se croyait au tournage d'un remake d'*Apocalypse Now*.

Personne ne bronchait.

Moi, je n'ai jamais pu obéir comme ça, ni rester parfaitement dans le rang sans dépasser.

Je dépassais toujours. Pas par ma taille mais par toute ma personne agitée et rebelle.

Jamais pu jouer à faire le robot. Pourtant, j'ai essayé. Cela m'aurait valu moins de problèmes et de punitions. Réussir à être la meilleure en quelque chose. Celle dont on expose le plus beau dessin dans le hall par exemple.

Mais je ne sais pas pourquoi, il y avait toujours chez moi un truc qui clochait : un lacet ou un ruban défait, une dégringolade dans l'escalier où on me poussait pour m'accuser ensuite, une tache « pas faite exprès » atterrissant sur un voisin de cantine, un bisou mordant sur le bras dodu d'un copain appétissant.

Et puis, les engueulades, les brimades... Rien que de la fureur et de la trouille, et les jambes trop molles pour bouger. Et en prime, une vague honte qui noyait ma colère (ou l'inverse, j'ai jamais su). Et ça se terminait toujours de la même façon : par des cris et le doigt pointé de fureur du prof impuissant comme dans un sketch d'Élie Kakou. Ça me clouait sur place face à tous les autres ignares hilares :

Shosha punie !
Shosha au coin !
Shosha prenez la porte !
Shosha chez le proviseur !
Shosha une colle !

Shosha votre carnet de correspondance !
Shosha zéro !

Et plus tard, ça n'a fait que continuer. De pire en pire.

À l'époque, j'étais sûre que le type que Mamzie appelait « Dieu » et qui était censé avoir fabriqué le monde devait être en fait un bonhomme qui jouait aux Legos. Quand il en aurait marre d'empiler ses petits blocs de plastique rouge, vert et jaune citron pour construire ses villes, bricoler ses maisons et ses personnages, il écrabouillerait tout d'un grand coup de pied et jetterait les petites briques éparpillées dans un carton, et hop ! chez Emmaüs, pour les pauvres. À moins que, flemmard, il ne dépose le carton aux ordures.

Ainsi, ce serait la fin, notre fin, la fin du monde : on serait tous détruits, broyés dans la benne, mis en marmelade entre les mâchoires massacrantes du camion poubelle, réduits en bouillie et pilés en poussière. « Poussière, tu n'es que poussière et tu redeviendras poussière... » Poussière et cendres dans le grand incinérateur.

Parfois, cette idée me séduisait. C'en serait fini de la vie.

Bon débarras !

Un supplice

C'est l'heure de se mettre en rang.
Il y a un drame dans sa culotte,
Du pipi ou de la crotte ?
Elle pleure, elle renifle, elle bave ;
Elle voudrait être morte. C'est grave.
Tout le jour, il faudra attendre,
Monter en classe, redescendre,
Attendre la fin de l'école
Lorsque la cloche tinte comme une folle.

Soudain, elle sursaute : un cri rauque.
Elle ne respire plus, elle suffoque :
« Espèce de sale toute crottée !!! »
Elle découvre la cruauté.
On la renvoie à la maison,
Elle n'en comprend pas la raison.
Elle souffre, elle est au supplice
Pendant que crie la directrice.

Elle refuse de lâcher la rampe,
S'agrippe, s'arc-boute et rampe
Son cœur explose dans sa poitrine
Elle est bannie de la cantine.
On l'injurie sur tous les tons,
On la traite de tous les noms :

« Avorton ? C'est quoi, avorton ? »
« C'est que tu n'aurais pas dû naître ! »
Alors, elle saute par la fenêtre.
« Indécrottable », conclut le maître.

14 octobre 2004

Chapitre quatre

Apnée juvénile

« *Ce que toute jeune fille devrait savoir : demain tu ne seras plus. Demain quelque chose de cruel t'aura changé en quelque chose d'autre.* »
Réjean Ducharme, *Le Nez qui voque*

« *Il est impossible de savoir où cela se passait. De toute façon, c'était dans un autre pays : c'était en enfance.* »
Annie Leclerc, *Hommes et femmes*

Pourtant, aujourd'hui, je m'étonne : malgré tous les mauvais souvenirs de mes premières années, je me sens en deuil de mon enfance. Et ma révolte n'en est que plus grande. Elle a pris des proportions lorsque le nombre de mes bougies d'anniversaire a dépassé 10. Au lieu de me sentir fière de grandir, j'ai compris ce qui m'attendait : la décennie suivante pleine de dangers que l'on voulait me peindre en rose. Que du bluff !

C'est comme ça que la porte du collège a été la troisième porte de mon enfer. Et les années qui ont suivi ont dépassé toutes mes prévisions. Non, je n'étais, je ne suis ni folle ni parano au chapitre de l'école. Mais là où j'ai vraiment commencé à souffrir, c'est quand mon corps a décidé de me lâcher, *because* le bombardement des hormones.

Pourtant, je n'avais pas bu le flacon d'élixir à faire grandir comme Alice. Je cherchais plutôt le flacon à rapetisser, la machine à remonter le temps. Je cherchais en vain le Pays des Merveilles, le pays où les mères veillent et pleurent de joie en attendant neuf longs mois leur enfant à naître.

Avorter de la vie. Retourner au néant. C'était tout ce que je voulais. Retourner dans le ventre de ma mère. Dénaître, même si ni le mot ni la chose n'existent.

Détricoter la vie. Retrouver le fil.

Mais rien à faire ! Manque de « peau » et tronche de cake, pousse de poils et bourgeonnements en tous genres : par ici la visite ! *Show must go on*, comme disent les gens de cirque, quand ils remontent sur le trapèze après s'être cassé la gueule. Moi, je me sentais tout le temps tomber du trapèze. Je me serais bien liquidée si j'en avais eu l'idée, le courage ou l'inconscience. Mais en ce temps-là, je ne connaissais rien encore au suicide de grand tonton Yan. Même pas son existence. Et j'étais trop grande pour me pendre aux porte-manteaux du collège.

Je devais me rendre à l'évidence, mon corps était au travail pour me nuire et me détruire avec méthode. Il m'attaquait de toutes parts, organe après organe : de la tête à cheveux gras, aux pieds devenus géants et rugueux, des seins affreusement asymétriques au sexe invisible mais tyrannique.

Rien ne semblait plus pouvoir arrêter la sale et envahissante progression de l'ennemi.

Sournoisement, lentement, l'adolescence s'acharnait à me transformer, à me faire germer, gonfler, croître, à me déformer, prendre de nouvelles proportions jusqu'à ce que je ne puisse plus me reconnaître ni me voir dans une glace. Mes règles puaient. Je jetais discrètement mes culottes souillées dans le vide-ordures au lieu de les laver. Ma figure et mon corps me lâchaient comme venait de me lâcher mon enfance. De gré ou de force, j'étais propulsée vers l'avant, vers l'avenir, vers l'inconnu. Transformation hideuse en loup-garou version louve avec super effet de morphing 3D !

Je devais dire adieu à ma blanche peau de bébé, et bonjour aux spots purulents, aux pores dilatés, au nez bouffi en patate, luisant de sébum. Bonjour les épaules ponctuées de cratères cramoisis, le sweet saupoudré de pellicules, l'humeur en dents de scie et les crises de larmes ! J'étais prête pour le massacre et la lotion d'Eau Précieuse que Maman m'avait refilée avec un maximum de délicatesse, mais qui m'avait quand même fait péter les

plombs. Elle avait pris sa tête d'innocente étonnée :
« Ma Shosha, c'est normal de grandir... »

« Mal dans sa peau », « Peau à problèmes »...
Après, je n'ai plus entendu que ça de la part des
parents lorsqu'ils s'adressaient à moi ou parlaient
de moi, ce que je supportais encore moins.

J'étais devenue une « ado », et pour eux, cela
expliquait tout de leur fille unique si chérie. Une
ado. Un mot et un être en raccourci, pas fini. Une
fille de pub et cible marketing pour société de
consommation.

Enfin, après des mois et des années de sape,
toute ma peau m'a trahie. La métamorphose du
cloporte était achevée. Je me suis retrouvée quasi
méconnaissable. Mes photos de classe et les
miroirs ne pouvaient pas me cacher la réalité, et
j'ai dû supporter qu'explose aux yeux du monde
ma triste et intime condition de fille pubère.
(J'exècre ce mot, et tout ce qu'il draine de saleté.)

Je me souviens encore avec écœurement et
honte d'un moment cuisant, pire que la découverte
des traces brunes au fond de ma culotte Petit
Bateau : le jour où j'ai surpris Maman en train
d'appeler Mamzie au téléphone pour lui annoncer
d'un air conspirateur, genre « on est entre
femmes », la nouvelle du jour :

« Elle les a ! »

« Elle », c'était moi.

« Les », » c'était mes règles.

Révoltant d'être l'objet d'un tel déballage !

J'en avais rougi jusqu'aux cheveux, toute seule, derrière le ficus du salon, et je m'étais sentie souillée comme la jeune mariée d'un pays barbare, celle dont on brandit, impudique, en étendard à la foule en délire, le drap maculé de sa nuit de noces.

Vierge à V comme :

Violation violente,

Verge virile,

Viol de Vieux Vicieux Vicelard.

Beurk ! à Vomir !

J'ai oscillé, au fil des mois et des années, entre la honte et la frime. Seuls mon sweet gris molletonné à capuche, mon jean rapé et mes Converse étaient une tenue décente, mon uniforme, et jusqu'à présent.

Je me demandais si j'étais normale, ou folle. Pas assez sûre de moi pour me sentir géniale. Et la rage me dévorait, me torturait, et ne se calmait jamais. J'étais toujours comme une Cocotte-Minute prête à exploser. D'ailleurs, en ce temps-là, mon père, sûr d'être très drôle, m'appelait sa « cocotte ». Et ça lui arrive encore. Dans ces cas-là, je lui balance un de mes regards les plus meurtriers.

Merde ! Faudrait que les parents comprennent à quel moment leur rejeton a passé l'âge du bibiche, pupuce, chachat, et autres diminutifs animaliers ! Et puis « cocotte » : est-ce que je suis sa poule, à mon père ? Beurk et re-beurk !

En 3ᵉ, dans une revue pour ados qu'une copine m'avait prêtée, j'avais lu un article qui comparait l'adolescence à la guerre de 14-18. Ça m'avait bien plu. Déjà le titre : « Puberté, poil au nez » !

Oui. Je me sentais en guerre, justement. Mais seule à me battre contre le monde entier. Tout m'était ennemi. À un moment, j'ai cru que j'allais finir enfermée dans un hôpital psychiatrique, ça m'avait fichu la trouille. Un peu comme Camille Claudel, (j'avais vu le film à Monet,) ou Valérie Valère, l'auteur d'un roman que j'avais trouvé dans la bibli de ma mère : *Le Pavillon des enfants fous*.

Longtemps, j'ai gardé pour la relire la page de l'article que j'avais osé arracher en douce et ça me remontait le moral. J'avais surligné la conclusion en rose flashy et j'y puisais de l'espoir mes jours de profonde déprime.

« Lisez, rêvez, observez, interrogez, écoutez, pensez, écrivez, aimez, inventez, étudiez, communiquez le plus possible, car un jour, pour vous, après votre guerre de 14-18, la paix reviendra et c'est vous *qui l'aurez gagnée. »*

À un moment, je me souviens d'avoir même pensé à lui écrire à la journaliste-psy, et puis j'ai pas eu le cran. D'ailleurs, y avait pas de courrier des lecteurs dans cette revue. Drôlement dommage !

Sûr qu'il n'y avait pas que ma peau qui était un problème. Je n'ai pas vécu ces années-là comme une promotion, mais comme une punition. Je n'ai jamais pavoisé à la façon de certaines de mes copines, arborant fièrement le premier soutien-gorge qui ne soutenait d'ailleurs rien. Je n'ai joué ni du mascara, ni de l'eye-liner, ni du gloss, ni du pearcing sur le nombril à l'air. Je ne parle même pas des strings et autres attributs « sexy ». D'ailleurs, Maman ne m'aurait jamais permis. Pour moi, tout ce qui s'apparentait au sexuel était à gerber et d'ailleurs, ça ne s'arrange pas.

Sur ce dernier point, ça rassurait ma mère d'avoir une fille qui n'avait pas le moindre petit copain à l'horizon. Sauf la fois où elle avait piqué sa crise lorsque, par pure provocation, j'avais déclaré que je me ferais tatouer le S de Shosha en forme de serpent autour de la cheville.

« Ça, pas question ! Je ne le supporterai pas. Se marquer soi-même la peau définitivement, comme du bétail, comme un bagnard à perpétuité... comme... comme... (elle s'étranglait de fureur). N'y compte pas avec moi !!! »

J'avais voulu la sonder et j'étais servie au-delà de mes espérances. Jamais vu ma mère dans cet état. Je venais de toucher les limites, mais de quoi ? Et quand mon père était venu en remettre une couche, offusqué à son tour, j'avais laissé tomber en disant que je ferais de toute façon ce que je voudrais à ma majorité. Ça avait jeté un froid.

Ensuite, j'ai continué à être malade de mon adolescence. Après naissance et enfance, je devais assumer ma déchéance. Et ça s'est mis à rimer peu à peu avec convalescence. Je suis restée comme au bord d'une longue maladie avec l'impression que personne n'en avait compris la gravité.

Voix sans issue

La seule chose qui pourrait la sauver, elle en
est sûre, ce serait de se tirer dans les étoiles,
faire un vol plané dans la Voie lactée,
s'accrocher à la queue d'une comète.
Il lui semble qu'ainsi, elle revivrait les divins
moments d'avant sa naissance, du temps
où elle valsait au bout du cordon,
dans les humides ténèbres maternelles.
Il lui semble même, parfois, au bord
de s'endormir, que lui revient en mémoire
l'air d'une chanson, genre tube de l'été 70,
que sa mère écoutait peut-être du temps
de sa grossesse. Serait-ce possible ?
Elle aime à se le faire croire.
« Maman, dis-moi que tu m'as aimée
avant de me connaître. Que tu m'as voulue,
un peu, un tout petit peu. »
Mais ces regrets d'un paradis perdu,
elle le sait, ne la mèneraient nulle part.
Le présent est là, dur et pointu, fiché
dans son âme comme un clou,
et les mots infâmes, comme les injures
et les agressions blessantes dont elle a fait
les frais, la vérité enfin sur son identité,
la font sombrer dans une profonde détresse
et s'écrouler sans espoir.

À ces instants-là, le monde lui apparaît,
cerné de pièges et de dangers suspendus
au-dessus de sa tête. Dans l'obscurité
de la nuit, la lune semble la menacer
comme d'un sabre courbe et doré prêt
à trancher sa vie une fois ses yeux fermés.
Bref, elle sent que quelque chose ne tourne
pas rond en elle, se demande quand elle sera
rétablie de ces souffrances diffuses, mais sait
de quoi sont faites ses nuits d'insomnie.

16 octobre 2004

Chapitre Cinq

Hors norme

« Tu passeras ta vie à crever ta coquille. »
Jules Renard, *Journal*

Les années ont passé, mais rien n'est vraiment réglé en profondeur.

Jusqu'à quand ça va durer ? Jusqu'à quand, cette fureur épuisante qui me pourrit la vie (et celle de mes parents aussi) ? J'ai l'impression d'avoir été poussée comme un pion, de case en case jusqu'à « Terminus-Terminale ». On a joué avec moi comme avec un jeton, un petit cheval en bois, de case en case. On m'a obligée à participer à une partie dont je ne connais pas les règles et où j'ai été manipulée par parents et profs, même s'ils ne l'ont pas clairement voulu : évidemment, c'était pour mon bien, au hasard de leurs dés jetés, et toujours pour les meilleures intentions éducatives du monde !!

Il faudrait que je sorte de leur jeu de société aux dés pipés. Ou, mieux, que je me tire carrément de la vie. Mais en douceur. J'aimerais être morte et que personne ne se souvienne de moi.

Ardoise magique ! Amnésie générale !! Mes parents pourraient même se refaire un autre gosse plus conforme sans avoir le moindre souvenir de m'avoir conçue auparavant, de m'avoir connue, critiquée et enterrée ; maintenant qu'ils connaissent la recette, leur programmation serait aux petits oignons comme dit Malinette. Belle idée de roman.

Je sais, je dis vraiment n'importe quoi, mais qui peut me l'interdire ? Ce cahier est « Chasse gardée. Propriété privée. Défense d'entrer. »

Et puis, ça fait tellement du bien d'écrire n'importe quoi !

Je pensais que, pour moi, tout s'arrangerait au mois de septembre quand on est arrivés dans cette banlieue paumée. Malgré l'horreur de quitter Paris et de laisser derrière moi toute ma vie d'avant, toutes mes habitudes, même si ce n'était pas la joie, je pensais que j'y gagnerais un peu. J'espérais pouvoir au moins me débarrasser de la sale étiquette d'élève-peut-mieux-faire, qui me colle depuis les débuts de ma scolarité, en plus de l'étiquette « insolente ».

Eh bien, non ! Pas de chance ! Rien à faire ! Ç'aurait été trop beau !

Toutes mes casseroles et mes boulets m'ont suivie. Sale réputation à Paris ? Sale réputation ici ! Même pas pu faire semblant de jouer à la bonne élève plus d'une journée ! Tout de suite, j'ai été démasquée. Comment ? J'en sais rien. Se sont téléphonés, les directeurs, les profs, les conseillers d'éducation ? Se sont passés le mot sur la pauv' Shosha qui vaut rien, la vaurienne (j'invente ce féminin ?). Ma réputation m'a suivie en RER B crade, comme un chewing-gum sous une basket.

École : depuis toujours des souvenirs assassins de ma nullité. Que des humiliations quotidiennes appliquées au fer rouge. Verdict définitif des profs et de mon père à propos de mes tares en mathématiques. Réprobation et jouissance des regards de toute la classe fixés sur moi. Souffrance cuisante d'être traitée comme une débile, une mauvaise, une méchante, une qui le fait exprès... Et qui en bave depuis des années de ce manège infernal : crèche, maternelle, école primaire, collège, lycée. Et ce n'était pas mieux du temps du centre aéré ou dans les colos où l'on m'a casée certains étés. Car, attention : toujours comprendre les parents épuisés d'avoir trop travaillé, les laisser respirer, ne pas les embêter. S'écraser. L'enfant unique ne fait pas le poids devant un couple de héros.

Arrivée dans ce bahut, dès la première semaine de la rentrée, je me suis sentie de nouveau cataloguée, épinglée, rejetée. Pas tout de suite compris pourquoi. J'ai entendu des remarques du genre : « Vous êtes sûre d'avoir eu votre passage en Terminale, à Claude Monet ? » Tout ça parce que je n'avais pas su ressortir Pythagore ou un autre au quart de tour ou bien le calcul d'une dérivée. Pas ma faute si, depuis toujours, les maths me donnent des boutons. D'ailleurs, je m'aperçois que j'écris les numéros des chapitres de ce roman-journal en lettres et pas en chiffres ! Je dois être très atteinte. Sûrement incurable. Tant mieux !

Bon, s'il n'y avait que les profs contre moi, prof de philo en tête, je souffrirais, mais je survivrais avec la rage. Mais, le plus infect, c'est qu'ici les élèves non plus ne m'ont pas acceptée. Ils ont dû repérer mes tentatives de fayotage désespéré. C'est vrai que je ne me sens pas douée pour cet exercice (je suis mal à l'aise parce que je déteste me sentir traître à mes principes face aux adultes), et ça ne trompe pas.

En plus, les Zautres, ici, ils ne se sont pas gênés pour me traiter de « bourge », de « lèche-botte », et pour certains – suprême insulte – d'« intello » les rares fois où j'ai donné une bonne réponse ! Drôle de lycée où il ne fait pas bon être la seule à savoir, à être l'étrangère qui vient de Paris ! Je compte m'en tenir à ma médiocrité habituelle, me noyer dans la masse et ne me faire remarquer ni en bien, ni en mal. Mais faut pas venir me chercher. Je suis plutôt du genre « tout ou rien ».

Voilà comment ma chance de devenir une élève de Terminale acceptable pour boucler ma scolarité en beauté a mal tourné. Enfin... j'avoue que c'est moi qui l'ai un peu aidée à tourner, ma chance. Elle a tourné, et tout a tourné au cauchemar. Quant à moi, j'aurais adoré tourner de l'œil, mais là, pas moyen ! Jamais réussi à m'évanouir en cours pour gratter la permission d'une planque à l'infirmerie.

Retomber dans mon invisibilité pour être tranquille, ne pas me laisser pourrir la vie dans ce repaire de crétins fiers de l'être. La solution de facilité. Du jour au lendemain, j'ai laissé tomber mes efforts et l'envie de changer de profil.

Je me suis repliée.

Je suis rentrée dans ma coquille pour être seule et hors d'atteinte. Mes idées se sont figées.

J'ai arrêté de penser et de participer.

Blanco dans mon cerveau.

Grande laverie automatique de mes neurones.

Leçons par cœur passées à l'effaceur.

Ensuite, vu mes résultats pas terribles et mon « comportement », les profs ont alerté mes parents qui sont tombés des nues (et sur moi !) parce qu'ils croyaient eux, dur comme fer, aux effets magiques du changement de bahut pour leur énervée de fille. Normal. Déjà qu'ils s'en voulaient d'avoir été obligés de déménager à cause de leurs soucis d'argent, d'accepter d'habiter dans l'immonde pavillon de famille prêté par ma grand-mère...

J'étais toujours la petite Shosha hurlante et barbouillée de morve, agrippée en bas de la rampe de l'école maternelle. On ne change pas !

C'est ainsi que, depuis la rentrée, ma vie est devenue infernale. Je n'ai pas un seul endroit pour souffler. Même dans ma chambre, je ne suis pas à l'abri. Je sens ramper sournoisement du rez-de-chaussée, le long des marches grinçantes, les méga-angoisses de mes parents à mon sujet. Un sang d'encre, un flot de reproches qui grimpe jusqu'à moi, lourd du poids de leurs attentes, de leurs désirs, et de leurs propres rêves de jeunesse déçus. Et quand ce ne sont pas mes parents qui me tannent à propos de mes notes, de mes devoirs faits, mal faits ou à faire, quand ce ne sont pas les profs, quand ce n'est pas ma grand-mère qui me file ses cours de morale, c'est ma conscience à moi qui veut me culpabiliser à mort. Grosse saloperie, cette situation que je vis et où je suis à la fois la victime et le bourreau.

La Place de la Jamais-Contente, c'est près de la médiathèque, le seul lieu où je peux souffler un peu, parfois. Mon endroit préféré : le drôle de wagon de train peint en rouge vif, devant l'entrée, dans le jardin. Comme un gros jouet tombé du ciel, posé là par un enfant géant, ou mystérieusement débarqué de nulle part.

Malheureusement, c'est le coin réservé aux petits, à ce qui s'appelle « l'Heure du conte », et je ne suis pas la bienvenue chez les lilliputiens.

Mais où est-ce que je suis la bienvenue ???

Le reste du temps, dans la maison, c'est intenable. Je me sens prisonnière de ce moche pavillon en meulières style années 30. Pas envie d'être isolée dans cette banlieue glauque coupée de tout, sans moyen de me tirer quand je veux, faute de fric pour les transports en commun : mon argent de poche n'y suffit pas. Impossible de rentrer à pied en traversant la zone industrielle et la cité HLM en décrépitude (et, paraît-il, mal fréquentée). Des kilomètres de barres de béton bientôt promises au dynamitage, et une peur sourde, une sorte de menace permanente qui rôde autour des blocs identiques et des parkings-dépotoirs.

Les parents sont inquiets et me communiquent leur inquiétude, tout le temps flippés dès que je ne suis pas rentrée pile à l'heure. Avant, à Paris, ils étaient beaucoup plus cools sur mes allers et venues. Je crois que la télé a réussi à leur imposer une vision hideuse et dangereuse de la « banlieue qui craint », alors maintenant, y habiter alors que ce n'est pas leur choix... Je ne les croyais pas capables de pareils préjugés débiles. J'essaie de ne pas être contaminée.

À présent, on est obligés de vivre dans ces deux minuscules étages empilés. Trois étages si l'on compte le sous-sol-buanderie-garage, mais c'est pas Versailles, loin de là, et encore moins la vie de château, vu les finances raplapla des parents. Ma chambre est sous le toit, et je ne tiens pas debout partout. J'ai glissé mon lit dans la soupente, juste en dessous du Velux qui ouvre sur un carré de ciel. C'est surtout beau la nuit, quand il y a des étoiles, mais le reste du temps faut pas être claustro ! D'autant que, pour le même prix, dans cette baraque mal foutue, plane le fantôme d'un pendu. Celui de l'oncle Yanek dit Yan (ou *vice versa*), un dépressif chronique d'après ce que j'ai réussi à savoir, mort quand Maman était petite. Le grand frère de Mamzie et de Malinette. Inutile de dire que je préférais l'appart de Paris sans fantôme ni pendu ! Mais, d'un autre côté, son prénom m'a rappelé quelque chose, confirmé de vagues doutes persistants, un souvenir ancien. Je ne suis pas folle !

En ce moment, c'est la cata, je suis de nouveau dans un profond cafard à broyer du noir, et plus du tout rassurée, dans ma vie. J'ai l'impression d'étouffer. Je me sens à l'étroit et sans lendemain. Il ne me reste que les pages blanches de ce cahier. C'est mon espoir, mon illusion, ma fenêtre ouverte. J'espère que ça suffira pour me faire traverser cette année qui s'annonce nulle, encore plus nulle que les précédentes et qu'avec (ou sans) les parents je retourne le plus vite possible habiter à Paris. Je suis malade de la maladie du pays perdu, et ça aussi, ça fait mal. Ça s'appelle la nostalgie.

Les abîmes minuscules

Chercher une issue maintenant
que les livres sont vains.
Affronter le papier afin d'exorciser
mon cauchemar familier.
Capituler devant la feuille vide
« que sa blancheur défend ».
Fascination du papier
Sanglots étouffés
Sanglots convulsés
Prendre conscience de ma personne dérisoire.

Tout glisse et se dérobe sous mes pas.
Tout croule et croulera à jamais pour moi.
L'issue ne sera qu'un mirage.
Je ne m'accrocherai plus à rien.
Effrayée, je tomberai dans cet abîme...
à ma taille.

17 octobre 2004

Chapitre six

HORS LES MURS

« Les enfants n'oublient jamais. C'est pour cela qu'il faut faire tellement attention à ce qu'on dit ou à ce qu'on fait et c'est un grand soulagement quand ils vont se coucher. »
Virginia Woolf, *La Promenade au phare*

Dans ma chambre, quand je n'en peux plus de stress, de cafard et d'idées noires, je me hisse à la hauteur du Velux, les pieds en équilibre sur des coussins. Je mets le nez dehors pour regarder la terre ferme, enfin, je veux dire, les façades des immeubles voisins, défigurées par les énormes pustules des paraboles télé. Je me sens comme un gardien de phare qui scruterait l'horizon dans la tempête, ou comme Noé sur son Arche, attendant le retour de la blanche colombe annonciatrice de la fin du déluge, une brindille d'olivier au bec.

En fait, c'est bien de cela qu'il s'agit, je me sens enfermée dans ma chambre, dans cette maison, dans cette ville. Je suis une fille prise en otage qui aimerait prendre le large. C'est presque le début d'un rap. (Tout ce que je déteste !) Est-ce que les

Zautres Zados ont aussi des envies folles de s'évader de leur bagne familial, de leur vie carcérale ? Quel crime avons-nous commis si ce n'est la mauvaise idée d'être nés après nos parents, et de ne pas pouvoir satisfaire notre besoin de liberté, que nous crevons du manque d'autonomie comme d'oxygène ?

Moi, ce n'est pas seulement ce sinistre pavillon qui me pompe l'air, ni même le bahut-bunker en cube de béton armé. Je ressens la souffrance d'être privée de la vraie vie. Piégée, je suis. Épinglée comme un papillon dans une boîte de déco. Et pourtant, je ne suis qu'une pauvre larve...

C'est toute cette banlieue blême qui rime avec problème qui m'emprisonne. Je suis tenue loin du centre qui était le mien : le cœur de Paris. Y a pire : c'est de voir tout le long de mes trajets ceux qui gisent sur des cartons dans les halls de gare, d'immeuble et à l'arrière du centre commercial. Ceux qui grelottent sur les bancs de métro, qui ronflent, enroulés dans des loques immondes, pour endormir leur estomac qui crie famine. Ceux qui mendient en jouant faux sur un crincrin. Et bien d'autres choses qui me révulsent : surtout de voir de grands enfants somnolents recroquevillés en fœtus sur les genoux d'un adulte qui les utilise en appât, pour apitoyer le passant.

D'ailleurs, banlieue, ça veut bien dire ce que ça veut dire : « au ban du lieu », donc c'est un lieu pour les bannis, les exclus, un lieu où je me sens exilée, et mes parents pareils. Insupportable, cette impression d'être indésirables. Rejetés – d'un côté comme de l'autre. De ne faire partie de rien.

Et pourtant, j'ai beau râler, je sais que ce n'est pas la faute des parents. Que faire ? Maman a eu la mauvaise idée d'accepter de venir nous enterrer ici et Papa était d'accord. Enterrer leur fille dans ce coin dégueu. Loin du vrai monde. Loin de tout, de notre vie d'avant. Je crois que je ne m'en remettrai jamais.

Bon, c'est sûrement une chance d'avoir eu cette baraque alors que mon père a perdu son job, mais d'habiter cette maison du pendu, ça me fait penser et repenser à ce grand-oncle Yan/Yanek etc. C'est pas marrant.

Parce que, celui-là, son fantôme est partout, il habite avec nous, et en plus, je n'ai toujours pas pu savoir dans quelle pièce de la maison il a décidé d'en finir avec sa courte vie sur sa courte corde. En tout cas, une chance, en procédant par élimination, ce n'est sûrement pas dans ma chambre : trop bas, le plafond ! Ouf, c'est déjà ça de moins à fantasmer ! Bon, j'ai l'air de rigoler, mais j'en suis chamboulée de vivre dans ce lieu hanté. Et hanté par un suicidé, en plus, un revenant revenu après de nombreuses années à la surface de certaines conversations familiales à mi-voix qui font écho dans ma mémoire.

Bref, ce brave pendu se balance quelque part dans cette maison de malheur. Je pensais que ça allait me donner des cauchemars, et ça n'a pas loupé. Déjà que j'ai du mal à dormir depuis des années !

Parfois, il m'arrive de penser à ce Yan avec sympathie. Je me persuade qu'il m'aurait mieux comprise que tout le reste de la famille, ce tonton déprimé. Un type qui se suicide, c'est forcément quelqu'un de supersensible, de fragile, d'incompris. Bizarre comme je me suis attachée à lui, à son souvenir, alors que je n'ai jamais eu droit à la moindre allusion directe à sa personne. Le fait qu'il soit un sujet tabou dans la famille y est sans doute pour quelque chose. Ça aiguise forcément mon imagination et ma curiosité. Je me demande pourquoi, en plus d'une pierre tombale au cimetière de Pantin, ce tonton, apparemment chéri, a droit à une superbe chape de silence. Quand je demande pourquoi il en a eu marre de la vie, la réponse est toujours la même, neutre, monocorde et floue :

« À cause de la guerre. »

C'est toujours prononcé dans un souffle, d'une voix blanche, le visage fermé.

Ah bon ? Il avait mal à la guerre, triste-tonton-pendu ?... Mais de quelle guerre il souffrait ? 39-45 ? La guerre d'Algérie ? Celle du Vietnam ? Une autre ? (Encore ma nullité crasse en histoire-géo !).

« À cause de la guerre. » Soupir. C'est souvent suivi d'un soupir qu'il faut traduire, par un : « je te l'ai déjà répété combien de fois ? » exaspéré.

Pourtant, tout serait plus simple si c'était un soupir de tristesse, un aveu. Mais on dirait que personne ne veut rien divulguer et le secret reste bien gardé. Jamais pu recevoir davantage que cette réponse bidon qui n'explique rien. Pourtant, ce n'est pas faute d'avoir lourdement insisté auprès de :

– Mamzie. Sortez vos mouchoirs !

– Malinette, ma tante, sa petite sœur. Changeons de sujet !

– Cisco, le mari de Malinette (mais il perd un peu la boule, ces temps-ci). C'est si vieux, tout ça !

– Maman : comme par hasard, sur ce sujet. Aussi bavarde qu'un portable sans forfait !!! (D'autant plus étrange que pour tous les autres sujets craignos elle s'est toujours montrée plutôt trop bavarde et ne m'a jamais épargnée.)

– mon père : je ne lui ai rien demandé parce que ce n'est pas sa famille et que c'était, je crois, avant qu'il rencontre Maman.

Enfin, bon, j'aimerais comprendre dans « quoi » je suis née. Quel air puant m'asphyxie depuis que j'ai eu : la malchance, le courage, ou l'obligation de naître.

Je crois que cela me permettrait d'accepter l'inacceptable :

– Vivre dans cette famille

– Vivre ma dernière année scolaire (enfin, j'espère !)

– Vivre en banlieue, enfin... y croupir...

– Vivre (ou plutôt végéter) en sachant que je devrais avoir honte de me plaindre, je sais.

– Vivre tout court.

Si j'avais reçu quelques réponses à mes pourquoi en temps voulu, peut-être que cela m'aurait aidée à savoir où et comment avancer dans ma vie, mettre un pied devant l'autre jusqu'au lendemain, lent demain. Mais je n'ai même plus envie de poser des questions, à voir l'effet que ça produit. Qu'ils s'étranglent tous avec leurs réponses de merde. Je ferai sans !

Et puis, ce stupide déménagement qui me détruit le moral !

Je m'en doutais, que ça allait m'achever. J'ai tout

tenté pour rester à Paris, j'ai même proposé de me faire héberger par tata Malinette. Elle était partante vu qu'elle a manqué d'enfant. Elle m'adore. Le prétexte était parfaitement plausible : changer de lycée en Terminale, ce serait perturbant, ça risquerait de me faire rater mon année. Mon père m'avait fait, alors, cette super réflexion qui tue :

« Shosh', ne te cherche pas déjà des excuses pour rater ton bac ! Inutile d'y penser. Au contraire, tu auras peut-être un meilleur niveau dans ce lycée de banlieue, toi qui viens de Claude Monet. »

Et il avait ajouté en se marrant (enfin... c'était paraît-il de l'humour) :

« Au pays des aveugles les borgnes sont rois ! »

Je ne sais pas comment j'ai fait pour fermer ma gueule sur ce coup-là et éviter de lui balancer direct :

« Et toi, mon cher père, t'es le roi des cons, c'est ta fille borgne qui te le dit ! »

Décidément, en ce moment, pas la moindre lumière au bout du tunnel de mes sombres jours !

La vie en gris et noir

En ce temps-là, j'avais les idées vagues
En ce temps-là, je pensais en zigzags
La vie m'était une sombre inconnue
Une sorte de longue avenue
Sans lumière et sans réverbères.
Comme mes idées noires,
Des ombres rampaient dans le soir
Au ras du sol et des trottoirs.
Mes joues, de larmes et de pluie,
Luisaient comme le pavé gris
Et les platanes décharnés
Pleuraient leurs feuilles envolées.
Au détour de mes tourments,
Me revient encore bien souvent
Une petite chanson d'avant :
« Il est né le divin enfant »
Ce n'est pas moi, évidemment.
Moi, je suis née, malheureusement.

19 octobre 2004

Chapitre sept

HORS CHAMP

« Nous ne serons pas vieux mais déjà las de vivre !
Ma mie, cultivons nos rancœurs ! »
Émile Nelligan

La nuit, j'écris. Personne ne le sait. C'est mon seul secours. Un moment volé où je me sens vraiment vivante et vraie, à part le quart d'heure du goûter, quand je me plonge jusqu'au cou dans un pot de Nutella. Ah ! Mourir noyée dans une piscine de pâte de chocolat à tartiner !!

Non, c'est faux. Ce ne serait pas forcément jouissif de finir comme ça. Quand j'étais petite, j'étais accro au chewing-gum, et pourtant, dans *Rabbi Jacob*, quand j'avais vu de Funès se débattre pour ne pas être englouti au fond de la cuve de l'usine de glu verte, je ne m'étais pas sentie bien du tout. Maman avait fait une blague sur le fait que, question goût et couleur, j'aurais peut-être préféré nager dans une cuve de Malabar rose. Mais non ! Je ne veux étouffer ni dans du rose ni dans du vert. Au fond, je tiens peut-être à la vie.

Il y a très longtemps, chez Mamzie, un dimanche après la tarte aux pommes, un carton à chaussures avait circulé. Il contenait, jusqu'à ras bord, des dizaines de vieilles photos en vrac. Festival de souvenirs étranges ressuscités à mes oreilles de petite fille. Ça fusait autour de la table, et, discrètement, j'essayais de capter des infos, de m'y retrouver, mais pas moyen. C'est ce jour-là que j'ai dû entendre parler pour la première fois de Yanek, et d'un Marcel dont je ne devais plus jamais intercepter le nom. Les portraits, les dates, les sous-entendus, les points de suspension au bout des phrases et, surtout, les profonds soupirs d'outre-tombe de Mamzie et de Malinette qui s'essuyaient les coins des yeux avec leur serviette brodée au point de croix, étaient les seuls éléments à ma disposition. Je m'en emparais. Je sentais des fantômes planer pendant que mon père et Sisco essayaient de faire bravement diversion en proposant une belote.

Ce dimanche-là, comme si on s'était soudain aperçu de ma présence, on m'avait dit de filer jouer plus loin. Marrant comme dans la bouche des adultes, « jouer » peut devenir un ordre, donc un devoir. J'y étais allée en râlant, parce que, étant la seule enfant, je n'avais que Gugusse comme unique compagnon de jeu, le vieux caniche pelé de Malinette et Cisco, qui roupillait contre la chaudière de la cuisine. Il avait refusé mollement ma proposition par quelques battements de queue désolés.

J'étais donc sortie sur le perron, m'étais assise sur la première marche en pierre au ras de l'allée, et j'avais inauguré une collection de petits cailloux gris et blancs. (Je les ai conservés comme un talisman jusqu'à notre dernier déménagement, dans une grosse boîte d'allumettes ornée d'une gitane froufroutante. Mais elle a disparu.) Je me souviens de mes fesses glacées contre la pierre. Un petit vent frais glissait aux pieds des hortensias délavés et gonflait ma jupe.

Et puis, Maman avait surgi comme une furie. J'avais remarqué ses joues et ses yeux rouges. Elle m'avait disputée parce que j'étais sortie sans mon manteau. Comme je venais de lire *Le Petit Poucet*, je m'étais demandé si lui, il avait pensé à mettre son manteau. À l'époque, une vague méfiance me venait, pour un oui ou pour un non, à l'égard des adultes. L'impression qu'ils complotaient derrière mon dos. Cela avait été amplifié par mes premières expériences de lectrice : je ressentais absolument tout de ce que ressentaient les personnages, et... le personnage, c'était toujours moi. Alors, apprendre avec le Petit Poucet, derrière une porte, que vos parents peuvent décider de vous perdre exprès dans la nature, ça m'avait fait faire quelques cauchemars.

En ce temps-là, mes lectures me mettaient dans des situations délicieuses et terrifiantes : je découpais en rondelles le poisson rouge avec le couteau de Sophie de Ségur, je frissonnais au craquement de l'arête dorsale sous la lame. Je caressais son Cadichon entre les oreilles.

Ce dimanche-là, celui marqué de petits cailloux, je ne me sentais pas prête à me laisser semer comme Poucet junior. Pas plus que je ne me laisserais ensuite violer par le scarabée géant de la Petite Poucette d'Andersen. Aujourd'hui encore, de ces lectures d'enfance, il me reste le regret de ne pas avoir rencontré le serpent-minute du Petit Prince. Je ne suis que Shosha ! Dommage ! Pas la moindre petite planète à moi pour me rapatrier après déception totale de ma visite sur Terre !

Depuis des mois, je me rends compte que je ne sais plus très bien où j'en suis, et c'est hyperdésagréable à vivre. Je tangue comme un voilier déboussolé, mes vagues sont intérieures, et j'ai souvent envie de gerber par-dessus bord.

D'ailleurs, tout me coupe l'appétit. J'ai même demandé à me désinscrire de la cantine, et comme les parents ont refusé sous des prétextes variés (et avariés), je m'arrange comme je peux pour me remplir les poches de ce qui est mangeable au self et surtout transportable : fruit, fromages en portion, morceaux de pain ou biscuits. Après, je vais me planquer soit dans le square derrière le bahut quand il ne pleut pas, soit dans le café du coin, mais je m'installe bien au fond, loin de tous les regards, loin du monde.

Le problème, c'est que tout mon peu d'argent de poche y passe. Pourtant, impossible de faire autrement. Ce troquet, c'est mon espace de liberté, du temps rien qu'à moi, un no man's land, ma bouée de sauvetage, à défaut de pouvoir filer bouquiner à la médiathèque.

Je commande un café noir au garçon, bien que j'aie horreur de ça, mais c'est la consommation la moins chère. Je dis « un exprès serré s'il vous plaît », juste pour la frime. Une fois sucré, je me force à en boire une gorgée infecte. C'est tellement amer que je repose ma tasse vite fait pour m'envoyer le verre d'eau ! Mais j'ai conscience que deux euros le verre d'eau, c'est pas donné !!! Pourtant, ça en vaut la peine. C'est le prix à payer. Comme un droit d'entrée. Le droit de m'y croire et de faire l'écrivain, genre Sartre, de Beauvoir, Hemingway, etc, des piliers de bistrots de la littérature, mais surtout pour me fondre un moment dans l'anonymat, disparaître loin du lycée, loin du tout. Me mettre entre parenthèses. Que personne ne sache où je suis. Je coupe même mon portable. Cette heure-là, elle m'appartient. Je me retrouve seule et heureuse de l'être. Sur une île. Alors, au milieu du brouhaha des conversations de comptoir et du foot de la télé grand écran, sur fond de ding-ding de flipper et de tubes à trois balles, mes rêveries dérivent parfois, peu à peu mon horizon s'élargit, mon cœur devient plus léger. Comme une bouffée d'espoir qui m'arrive et monte du fond de moi. Le temps d'une minute, une minute seulement, je me prends en flagrant délit de bien-être. Ça m'étonne. Je peux respirer librement. Je m'aperçois qu'avant j'avais le plexus bloqué, que j'étais en apnée depuis des jours. Et puis, je me mets à écrire. Et tant pis si ce n'est pas génial.

Je me sens bien.

Elle

Elle passait sa vie à gratter du papier :
Les cahiers, les bouquins, c'est ce qu'elle
préférait
« Est-ce que tu descendrais pour poser
le couvert ? »
lui criait, ironique, sa mère au bord des nerfs.
Elle n'osait pas l'envoyer paître
Celle qui, à tort, l'avait fait naître,
En effet, donner un coup de main
Matin et soir, soir et matin,
Souvent, c'était insupportable
Et puis pourquoi se mettre à table
quand l'estomac n'est pas d'accord,
quand son corps voudrait faire le mort ?
Alors, elle écrivait en douce
Des trucs qu'elle cachait sous la housse
De sa guitare restée sans voix
Depuis des semaines et des mois.
Quitter le monde, quitter sa mère
Partir fuguer au bout des mers
Rien que pour avoir cette chance
S'éloigner, quitter cette France.
Ne plus se réveiller en pleurs
Après des nuits de films d'horreur.
Ne plus se sentir incapable

D'aller en classe, de mettre la table.
« Alors, la princesse, tu fais quoi ? »
Encore la voix de son papa
qui appelle, appelle sans relâche
Elle se sent coupable et trop lâche.
Elle va faire semblant d'avoir faim,
Éviter qu'ils n'aient du chagrin.
Pour la fugue : elle verra demain...

21 octobre 2004

Chapitre huit

HORS DE MOI

« N'être pas né, rien que d'y songer, quel bonheur,
quelle liberté, quel espace ! »
Cioran, *De l'inconvénient d'être né*

« J'ai pas demandé à naître !!!! »

La première fois que j'ai hurlé ça à mes parents, j'avais treize ans et ça faisait des années que je me retenais. J'en pouvais plus. Il fallait que ça sorte, sinon j'explosais, Cocotte-Minute à son Papa !

J'avais treize ans, l'âge où ça commence à faire déjà très mal de grandir. L'âge où j'ai commencé à avoir envie de faire demi-tour en enfance, une marche arrière, retour à la case zéro, même pas à la case départ !

Ça m'a pris dès que j'ai vu mes seins se pointer, et pointer sous mon T-shirt. Même d'étirer le XXL, de me noyer dedans, ça ne suffisait plus à me les faire oublier.

Treize ans : l'âge où j'avais encore le courage (ou plutôt l'inconscience) de gueuler mes quatre vérités tout haut, trop haut, remontées incontrôlables du

fond des tripes par pur instinct de survie. Enfin...
pour moi, c'est comme ça que ça s'est passé. Bizarre,
car à présent, je suis plutôt du genre mutique. Le
silence est devenu mon bouclier, mon arme abso-
lue, mon gilet pare-balles.

Mon cri est silence.

Bien installée dans mon film muet perso non
sous-titré, je me sens à l'abri, hors du danger des
agressions du monde, protégée par une forteresse
invincible. Et c'est bien. Faut que je m'en contente
avant d'avoir trouvé mieux !

J'aimerais tellement que la vie soit autrement... et des vœux, j'en ai fait à chaque étoile
filante, à chaque premier fruit de l'année, à
chaque occasion de magie ou de superstition
depuis toujours. Allez, je disais, soyez sympa,
Monsieur le destin, faites qu'on efface tout et
qu'on recommence ! Faites que chaque être
humain puisse avoir plusieurs chances, enfin...
au moins deux. Mais pas moyen ! Avec la vie,
j'ai vite compris qu'on n'a même pas droit au
brouillon, que c'est tout de suite au propre, et
que quand c'est raté... c'est salement raté !

— Pourquoi tu fais toujours la gueule, ma
cocotte ? me tanne mon père.

— J'fais pas la gueule, n'importe quoi !

C'est tout ce que je réponds. Comme un automatisme, comme une réplique de théâtre ou de sketch débitée par cœur. Entre mon père et moi, le dialogue immuable est rodé, il se répète à l'infini, chacun des acteurs connaissant sa réplique à la perfection.

J'ai remarqué que c'est souvent le cas, dans les familles. Il suffit d'observer un tour de table à un repas d'anniversaire, par exemple. C'est dingue comme chacun joue son rôle à la virgule près, reprenant fidèlement son personnage. Même chose aux mariages et aux enterrements. Le spectacle des familles roule parfaitement. Il est affligeant et sans surprise.

Ce que je ne comprends pas, c'est pourquoi personne n'en a marre de rabâcher les mêmes phrases du même dialogue du même scénario, d'entendre pour la centième fois, le même souvenir de jeunesse de Mamy-Truc qui radote dans son dentier, la guerre des tranchées de Papy-Machin, la chanson chevrotée par le beau-frère gâteux et pinté, qui se déclenche invariablement à la troisième coupe de champagne. Et puis, les jeux de mots et autres charades éculées ou blagues vaguement dégueu pleines de sous-entendus salaces des adultes. Et pareil pour les règlements de comptes et les éternelles histoires de fric plus ou moins louches, les reproches qui éclatent au dessert, et les vieilles ardoises jamais effacées depuis des générations.

Le mot d'ordre est : « Joue le jeu et tais-toi. Fais semblant de croire que tout roule. Que tout ce qui est dit est neuf, improvisé, spontané et sincère. »

À moins d'être sourd, idiot ou complètement maso ou bien trop lâche pour leur exploser à la gueule, ce n'est plus de la politesse, c'est Guignol !

Bonjour la famille !!

Évidemment, on n'est pas d'accord là-dessus avec mes parents !

« Devenir adulte, c'est savoir faire des compromis », décrète mon père, dans son style « expérience de vie et transmission paternelle ». Moi, quand il dit « compromis », j'entends « con promis », c'est plus fort que moi. Depuis que je suis petite, je vois des gros mots partout et ça me réjouit. « Conne naissance » me plaît beaucoup, et pour cause !

Dans ces cas-là, pour répondre à mon père, je fonce carrément :

« Alors, compte pas sur moi pour devenir adulte ! » et vlan ! Et puis, je me replonge dans mon profond silence bien compact. Et, même s'il ne veut pas le croire, mon père, c'est vrai que je ne fais pas la gueule, c'est pire : je suis fâchée avec le monde entier, fâchée de la planète au reste du système solaire, de notre Galaxie à l'Univers. Fâchée avec et fâchée contre.

Mon triste cœur bave à la poupe. Merci Rimbaud d'avoir choisi les bons mots dans ton poème. Moi aussi j'en bave ! J'ai trouvé le vers dans le manuel de français et même si je n'ai pas ton talent poétique ni ta rage, ça m'a redonné du courage. Merci la rime !

Cher Arthur, tu mérites bien que je me balade avec ta photo collée dans mon agenda. Lorsque mes heures sont trop lourdes, je m'engouffre dans ton regard pâle et insolent. J'y trouve un appui, ton approbation. Sacré rebelle, sacré sale gosse, comme disent les adultes qui raffolent des enfants bien sages et bien formatés. On ne bronche pas sinon gare aux ailes qui dépassent du petit tiroir prévu, hop ! rectifiées à grands coups de ciseaux ou bien de camisole chimique : on n'arrête pas le progrès !

Sous ta photo, j'ai écrit, Rainbow, avec des feutres de couleur. Chaque lettre sa couleur. Parce que, cher Rimb', « arc-en-ciel », ça te va bien. Des couleurs après l'orage. Un signe de paix. Une rencontre entre la pluie et le soleil. Toi, les psychiatres du XXIe siècle ne t'auraient pas loupé : tu aurais eu droit à une double dose de Ritaline.

La route des airs

À la source de tous ses emmerdements
Il y avait son papa et sa maman
L'un se prenant pour un souverain
Un pape, un roi de droit divin ;
L'autre persuadée que chacun
Lui devait amour et câlins.

Comment prendre sa liberté
Quand on est une enfant gâtée
Mais qu'on n'a pas le moindre sou
Pour se tirer à Tombouctou
En un mot, mettre les bouts ?

Ah ! découvrir sa route à soi
Quitte à se perdre dans les bois
Rencontrer le loup aux abois !

Ah ! tout quitter pour changer d'air
Ne plus reposer pied à terre
Bien lisser les plumes de ses ailes
et s'envoler à tire-d'aile...

Rêveries, illusions, mirages :
Elle était condamnée, mise en cage,

Avec la crainte naturelle
D'une tristesse sempiternelle.
Car comment être heureux sur terre
Sans anéantir père et mère ?
Mystère !

22 octobre 2004

Chapitre neuf

HORS SUJET

« Je ne sais pas pourquoi avec moi, il en va toujours et partout autrement qu'avec les autres, et à vrai dire, même si je le sais peut-être, il est plus simple pour moi que je crois ne pas le savoir. »
Imre Kertész, *Kaddish pour l'enfant qui ne naîtra pas*

« Je ne comprends pas qu'un professeur ne comprenne pas qu'un élève ne comprend pas. »
Gaston Bachelard, *Le Nouvel Esprit Scientifique*

Les pires heures en ce moment, ce sont les heures de philo, et on en a forcément beaucoup en section L. Vu le coefficient 7 au bac, cette salope de prof n'a aucun mal à faire régner son gros chantage de menaces en tout genre, et sa petite autorité de merde sur sa Terminale de médiocres. Les littéraires, c'est toujours considéré comme des nuls. Même pas caps de faire S, alors, vous comprenez, comment voulez-vous qu'ils réussissent dans la vie, pour eux, c'est déjà cuit !

Et puis, la prof de philo, elle a la menace facile et elle n'arrête pas de parler de ses appréciations de fin d'année sur nos livrets scolaires. Moi, ça m'est égal qu'elle m'apprécie ou non. Je ne tiens pas à avoir mon bac avec mention. Juste mon bac, c'est tout et même à l'oral de rattrapage, ça me suffira. Mais pour ça, faut pas qu'elle arrive à me saboter. Et que je ne me laisse pas saboter non plus. C'est mal parti !

Comme disait le brave Montaigne : *Que philosopher, c'est apprendre à mourir*, d'ennui et de rage, j'ajoute !!!

Chez cette prof, tout est raide, dur, pointu, glacé. Une femme taillée dans une stalagmite. Impossible à dégeler. Le plus marrant, c'est qu'elle s'appelle Picard ! Ça, ça ne s'invente pas !! Mais comme le gynéco de Maman s'appelle le Dr Papa... Va pour Madeleine Picard et la philo-frigo !

Parfois, en classe, des blagues fusent, surtout de la part des gars. Y a ceux qui la traitent de « congélo », d'autres de « glaçon », d'autres qui se croient tellement virils et dans le coup qu'ils affirment en connaisseurs : « Cette meuf, elle est 100 % frigide. » Ce sont surtout les pauvres boutonneux qui se croient des bêtes de sexe. Pauvres types !

Bref, Madeleine Surgelé, par malchance, je sens qu'elle ne peut pas m'encadrer depuis la première heure de cours de l'année. Ça tombe bien, c'est réciproque, je ne peux pas me voir en peinture.

Parfois, on dirait que son regard me passe au travers comme si j'étais transparente ; d'autres fois, il me fusille. Avec elle, j'ai toujours droit au peloton d'exécution. Elle ne me loupe jamais. Ni pour un geste, ni pour un mot, ni pour un devoir, ni pour une réponse. Elle ne me lâche pas. La vie est bien faite, nous sommes elle et moi en désaccord parfait.

Et ce qui est étonnant depuis le début, c'est qu'on dirait toujours qu'elle bute, qu'elle hésite sur mon prénom, qu'elle peut pas l'imprimer. Shosha, c'est pourtant pas sorcier ! Ça a commencé dès le premier appel de la rentrée :

« Vous êtes de quelle origine, mademoiselle ? » et comme je tardais à répondre, elle a ajouté, en se reprenant : « De quelle origine ce prénom, je veux dire. »

— C'est de l'hébreu, je crois.

— Ah bon ? »

Et pour mettre l'ambiance et gagner la connivence du troupeau, elle a ajouté, lourdingue, en rigolant :

« Eh bien, c'est de l'hébreu pour moi aussi ! » Évidemment, tous les veaux se sont mis à rigoler aussi. Wouaf ! Wouaf ! Elle est bien bonne ! D'où qu'elle sort, la nouvelle ? Elle vient d'Israël ? C'est une Feuj ? C'est kif-kif, mon pote... une bourge qui se la pète : elle vient de Paris.

Qu'est-ce que je leur ai fait ? Qu'est-ce que je lui ai fait à celle-là ? Depuis, ça n'a pas cessé. Est-ce que c'est parce que, pour la première dissert', elle a demandé si on avait déjà rencontré l'œuvre d'un auteur dont on avait aimé la philosophie, et que j'ai choisi *Le Petit Prince* de Saint-Exupéry ?

Quand elle m'a rendu mon devoir, elle ne s'est pas gênée pour bien souligner le fait que j'avais pris là une œuvre de littérature jeunesse, mais que, comme c'était la première dissert' de l'année, elle me mettait la moyenne de justesse. Quand j'ai essayé d'expliquer que *Le Petit Prince*, c'était pas forcément un livre réservé aux enfants, tous les analphabébêtes de la classe se sont marrés comme des baleines. La majorité ne l'avait pas lu, les attardés m'ont balancé qu'on n'était plus au CP. Et la mère Picard était verte de rage que j'aie osé lui répliquer. Seuls les ricanements éraillés de ses fans l'ont détendue. Les Bilal, Selim, Imène, etc. ont fait chorus. À eux, elle n'a jamais demandé l'origine de leur prénom.

Eh oui, facile à vérifier au fil des semaines et des devoirs, que d'autres ont de bien plus mauvais résultats que moi, mais qu'ils sont moins descendus par la prof. Y en a même qui pompent allègrement les corrigés en ligne sur Internet. Des fois, leurs parents leur donnent du fric pour ça, au cas où on ferait la moyenne des devoirs sur table et des dissert' à la maison. Vive la justice au pays du contrôle continu !

Moi, quand je ne rends rien, quand je peine lamentablement sur ma feuille, j'essaie au moins de me creuser la cervelle pour inventer une excuse plausible. Mais bon... on ne peut pas se ramener à chaque fois avec un « y a eu un drame à la maison », un enterrement encore moins... c'est pas conseillé. Ça finit toujours par se savoir, et là, c'est vraiment le drame !... Comme dans *Les Quatre Cents coups* de Truffaut que j'avais vu au ciné-club, à Monet. Le pauvre Doinel qui se fait humilier quand sa mère se pointe à son école, alors qu'il vient d'annoncer à l'instituteur qu'elle est morte ! Tout ça parce qu'il avait séché la veille...

Et puis, qui je choisirais de faire mourir, dans ma famille ?

Mon père ? Ma mère ? Les deux d'un coup dans un magnifique accident de bagnole ?? Faut pas pousser ! Déclarer que Mamzie ou Malinette sont mortes ? Je les aime trop, même le Cisco Perd-la-boule. Pas question qu'ils meurent, ceux-là, même en faux ! (Quant à tonton Yan, il est déjà en poussière, alors il ne peut plus me servir à rien...) Enfin... même s'ils m'énervent pas mal, je ne pourrais pas les tuer en imagination. Je suis trop superstitieuse.

Bref, la triche, faut être douée. Ce n'est pas mon cas. Ça exige des qualités que je n'ai pas. En 5ᵉ, je m'arrangeais pour gagner une heure en truandant l'EPS. Je me faisais moi-même mes mots d'excuse pour être dispensée. À l'époque, j'avais trouvé drôlement *style* les mots que la mère d'une de mes copines faisait :

« Veuillez excuser ma fille qui ne pourra pas participer au cours de sport, car elle est indisposée. »

Indisposée, moi, je croyais que c'était une façon élégante pour dire « fatiguée », « un peu malade ». J'ignorais que ça signifiait : « Ma fille a ses règles » : supermotif imparable auquel aucun prof ne peut s'opposer. Alors, quand j'ai été convoquée par le proviseur sous prétexte qu'on trouvait bizarre que j'aie mes règles trois fois par mois, j'en suis restée complètement ahurie, hébétée, et je ne sais pas à quel ange gardien je dois la chance de n'avoir pas été méchamment virée ou collée pour « faux et usage de faux », ni mes parents prévenus de mon crime.

Picard va finir par me porter la poisse, je le sens. Celle-là, elle veut me dégommer, me saper en me faisant perdre le peu de confiance que j'ai en moi. Elle revient sans cesse à la charge pour me démolir, et j'essaie de me défendre comme je peux, toujours à la limite de me faire virer. Ou alors, je marmonne tout haut en rangeant mes affaires avant que ça sonne, ou je fouille dans mon sac comme si j'allais me barrer sans permission, ce que j'ai tellement envie de faire.

Elle ne supporte pas.

Quand elle me tient, elle ne me lâche plus. On dirait un chat qui s'éclate à jongler avec une souris agonisante. Picard, elle s'acharne sur sa proie, et, manque de pot, sa proie, c'est moi. Elle n'en démord pas. Toutes griffes dehors. Et moi, la souris, en vain je me débats.

Foutre le kan

Que faire ? Oh ! Foutre le kan !
Foutre le kan !
Tenir le coup combien de temps...
Tromper le monde et enchanter ma douleur
Ne pas partir avant d'avoir eu
Une petite avance de bonheur

Pourquoi ce lien qui m'enchaîne ?
Le briser, c'est briser mes parents
Ne pas me laisser ligoter par mes sentiments
Dans leur toile d'araignée gluante
Dans leur existence tuante

Être de glace, être de feu.
Être étrangère au monde avant
que d'en partir
Ne rien regretter des jolies choses,
Des jolies roses
Des robes noir velours
Des nouvelles chansons d'amour
Tout est possible avant le néant

Je n'ai jamais été aussi heureuse
Je n'ai jamais été aussi vraie qu'à deux doigts
du délire

Quand je serai soûle de mots et de chansons
idiotes
Quand yora plus rien d'moi au monde
Mourir les yeux ouverts
Sourire de joie les mains tendues
Ne pas oublier de rire de tout et de soi.

22 octobre 2004

Chapitre dix

LES RAISONS DE LA COLÈRE

« *Arborons l'étendard de la révolte ! Devant le tableau
noir, je fais doucement : "Non" en secouant la tête.*
— Comment, non ?
*— Non, je ne veux pas extraire de racines aujourd'hui.
Ça ne me dit pas.*
— Claudine, vous devenez folle ?
*— Je ne sais pas, Mademoiselle. Mais je sens
que je tomberai malade si j'extrais cette racine
ou toute autre analogue.*
— Voulez-vous une punition, Claudine ?
— Je veux bien n'importe quoi, mais pas de racines. »
Colette, *Claudine à l'école*

« **S**hosha, pourriez-vous venir expliquer au tableau
de façon méthodique, claire et argumentée à vos
collègues ici présents – et à moi par la même
occasion – pourquoi vous semblez sans cesse hors
de vous, au bord de l'exaspération ? Sachez que,
quelle qu'en soit la raison, personne n'a à en faire
les frais. Je vous préviens, je ne le tolérerai pas
davantage. Dorénavant, votre mauvaise humeur,
gardez-la pour vous, je vous prie, ou abstenez-vous

de venir à mes cours. J'attends vos explications, et, pourquoi pas, vos excuses !... ».

« Dorénavant, je vous prie, abstenez... » On se demande où les profs vont pêcher des mots pareils. C'est presque comme dans les versions latines, quand on pioche n'importe quelle citation du Gaffiot pour traduire. Encore un peu, elle parlerait en alexandrins ou en vieux français pour faire genre « on n'est pas du même monde, bande de nazes ».

Je n'ai pas bronché. J'ai pas bougé. La partie de bras de fer commencée entre nous venait d'éclater ouvertement après des semaines de piques sournoises. Avec deux, trois astuces vaseuses et la menace de m'envoyer chez le proviseur, elle a fini par laisser tomber parce que c'était l'heure de la cantine. Merci la cantine ! (Même si toutes ces âneries m'ont complètement coupé le peu d'appétit que j'ai.)

Ça me rend folle. Je ne comprends pas ce qu'elle me veut ni pourquoi elle me cherche. Quand elle s'adresse à moi, c'est comme si elle attisait les braises d'un feu qui me brûle à l'intérieur. Exprès. Elle a le don de me pousser à mes limites. Et moi, les limites, je crois que je les ai perdues de vue depuis longtemps, alors...

Où est le garde-fou ? Où est le garde-folle ? Je ne sais pas si je deviens dingue ou quoi, mais, pas de doute, la mère Surgelée m'en veut vraiment. Et ça pète entre nous parce que ça fait un chaud et froid. Est-ce qu'on peut faire couler un iceberg ? Je me sens plutôt minable et, comme le *Titanic*, c'est moi qui vais couler. Je ne supporte pas ses airs victorieux devant la classe. Et puis, de quel droit elle m'appelle par mon prénom, celle-là ? On se connaît ? On a gardé les vaches ensemble, comme dit Malinette ?

Faut reconnaître que Picard n'a pas tout à fait tort : c'est vrai de vrai que je suis hors de moi, hors de moi, comme une porte sortie de ses gonds. Plus de porte du tout d'ailleurs, que des courants d'air ! Tout m'énerve. Mais ça, c'est depuis la première minute de ma vie, un énervement juste augmenté par l'école, entretenu par la famille et surtout activé par cette malade de prof qui m'accuse à tort d'être tout le temps « hors sujet ».

Argumenter mon ras-le-bol ? Disserter dessus ? Mais, je vous en prie, chère madame ! Allons-y, chiche, après vous, mais alors, pas à l'oral !

Je ne crains personne pour faire un plan bateau style Annabac sur n'importe quoi, et trouver des idées pour et contre. Surtout quand le sujet n'est pas original ou qu'il est nul. Je suis un bon petit robot docile, bien dressé à pisser de la dissert' de philo. Parfois, ça m'épate moi-même. C'est comme un jeu. Comme si je faisais des mots fléchés : là, ce sont des idées fléchées, et même si ça vole pas haut, ça dépanne.

Pour moi, le vrai danger, c'est quand le sujet m'intéresse trop ou me concerne de près. À ce moment-là, je risque de foncer à l'aveuglette dans mes opinions persos, je m'engouffre dans des positions que je veux défendre à tout prix, au prix de ma grosse mauvaise foi, d'arguments biaisés, d'erreurs de raisonnement ou d'exemples utilisés au chausse-pied. Dans ces cas-là, j'ai tendance à déraper, à sortir un peu ou beaucoup ou complètement du sujet. Elle n'a pas tout à fait tort la mère Pic. Pourtant, ce que je lui reproche, c'est de ne pas comprendre que c'est la preuve que j'aime la philo, je lui en veux de ne pas savoir ni vouloir m'aider. Au contraire, on dirait qu'elle cherche à m'enfoncer depuis le premier cours.

Bon. Voyons donc son sujet taillé sur mesure pour moi. Dommage, je ne crois pas que j'aurai le courage de le lui rendre sur feuille au prochain cours, ou même de le déposer dans son casier de la salle de profs. Vicelarde comme elle est, je parie qu'elle serait cap de me demander de le faire signer par mes parents, ou pire, si sa parano du jour est au maximum, de me coller un conseil de discipline. Ça rimerait avec... guillotine !

Voyons « les raisons de la colère » (au cas où elle aurait un peu d'humour et/ou qu'elle aurait lu Steinbeck. Je suis peut-être une énervée, une paumée, une emmerdeuse, mais pas une inculte !!).

En intro, je mettrais une définition de la colère comme celle que j'avais trouvée dans le dico, au début de ce cahier.

Puis, je parlerais de la colère de Zeus et Neptune en passant par Jéhovah : pas de jaloux ! La colère des dieux, ça fera bien... et puis la colère à la sauce psychologique : une émotion n'est pas un sentiment, ce serait confondre un feu de cheminée avec un poêle à charbon, et blablabla...

Après, j'ajouterais un petit doigt de Descartes avec mise en garde contre les passions qui dévastent la raison. Et hop ! je présenterais mon plan en trois parties : aucun prof n'a jamais résisté à ça !

Alors :

1. <u>Raisons du ras-le-bol</u>

a. Bonnes

b. Mauvaises

2. <u>Un cas de ras-le-bol négatif</u>

a. La paranoïa

b. L'erreur de jugement

3. <u>Que le ras-le-bol peut être positif</u>
a. Prise de conscience d'une situation
b. Décisions en vue d'y remédier

Et en conclusion je dirais que, finalement, un ras-le-bol est plutôt utile puisqu'il amène la personne qui était « hors d'elle » vers une amélioration, le dépassement d'un cap.

Vive la colère à condition que l'on en comprenne les motivations et les stimuli déclencheurs conscients ou inconscients. C'est pas bien ficelé, ça ? Et là vite, un *finish* en beauté : une petite tartine de Ça, Moi, Surmoi, pour caresser le correcteur dans le sens du poil ! Freud, il a toujours la cote d'après ce que j'ai remarqué dans les *Annales corrigées* (sauf auprès de Picard qui le dégomme dès qu'elle peut !).

Donc, CQFD. J'ai bien argumenté comme voulait la mère Picard. Et à mon avis, mon plan tient la route. Mais elle n'en saura rien.

En quoi ça la regarde ?

De quel droit elle me demande ça ?

Pour se foutre de moi devant la classe ?

Pour me coller la honte ?

Pour me mettre en rogne encore plus et me faire virer si je disjoncte ?

Oui, ma vie est pleine de pourquoi. Et alors ?

Pourquoi elle ne me fout pas la paix ?

Qu'est-ce que je lui ai fait ?

Pourquoi j'aurais pas le droit de lui balancer :

– Tout ce que j'ai sur le cœur ?

– Tout ce qui me fait mal au cœur ?

– Tout ce qui me reste en travers ?

– Tout ce que je n'arrive pas à digérer ?

M'en fous de ses sujets de dissert' !

M'en fous d'être « hors sujet ».

Le seul sujet c'est MOI, et ça, elle comprend pas :

JE, 1re pers. du singulier,

JE qui fait l'action.

Moi, Shosha, JE, sujet du verbe.

SUJET = MOI !

Oui, je suis HORS SUJET parce que je suis MOI et en ce moment...

HORS DE MOI !!!

Alors, pour me calmer, cet après-midi, repli stratégique à la médiathèque. Par chance, les parents sont toujours d'accord et ne me posent aucune question. Pourvu que ce soit pour travailler et chercher des documents. Ça m'arrange. Je vais reprendre des forces dans le wagon rouge. Décidément, c'est un wagon de marchandises qui, ces temps-ci, m'entraîne vers d'étranges fantasmagories pas forcément marrantes. C'est plus du tout un bon gros jouet ; il me ferait plutôt cauchemarder. Les deux hublots qui lui servent de fenêtres ouvrent sur moi leurs gros yeux étonnés. Retranchée du monde, je m'enfonce dans les coussins moelleux du canapé miniature. Qui viendra me lire un conte, à moi ? J'ai quatre ans, vous ne voyez pas ? Je suis toute petite et mes yeux sont pleins de larmes.

Un témoin

Pur, un cri s'éleva près du wagon.
Inanimée, elle gisait.
Elle avait suivi le passage des contradictions
où tous ont toujours perdu la mouette
de leur dernier regard.

Sous la puissance des adultes hostiles
et sous ses larmes
Elle dort, blanche comme la mémoire
profonde.

Moi, arbre penché sans espérance sur sa
beauté, je comprends que rien n'est plus
possible.
Aigri, je me souviens que, debout devant elle,
je l'avais fait éclore.
Nous savions alors parler et exprimer, tout
couronnés de feuilles, la délivrance de nos
jeunes vies.

24 octobre 2004

Chapitre onze

HORS DE QUESTION !

« La fille de treize ans et demi est prête à mourir, mais
à se laisser emmerder, non. Avant d'avaler un litre de
liquide à déboucher les chiottes, le plus sage serait d'en
tester l'efficacité sur quelqu'un d'autre. »
Hélèna Villovitch, *La Maison rectangulaire*

« ... il vaut mieux rire d'Auschwitz avec un juif,
que de jouer au Scrabble avec Klaus Barbie. »
Pierre Desproges, *Vivons heureux*
en attendant la mort

Voilà un scoop dont je me serais largement
passée !!!!

Notre prof d'histoire, M. Chauvin, nous a appris
ce matin qu'on allait tous avoir à faire un dossier
personnel qui comptera pour nos moyennes. Et
pas sur n'importe quel sujet de notre choix, bien
sûr, ce serait trop beau ! Non, ça n'a pas loupé,
c'est sur... les camps de concentration et d'extermination !!! Parce que, cette année, il paraît qu'on
commémore les 60 ans de l'ouverture des camps

en 1945, à la Libération. C'est au début de notre programme : bilan de la guerre.

M. Chauvin, on m'avait prévenue qu'il est accro à 39-45, et que tous les ans, programme ou pas, il traite ce sujet à fond, qu'il le reprend surtout pour les élèves, comme ceux de ma classe, qui ont l'air d'avoir à peine survolé la fin du programme de Première... MAIS ce n'est pas tout !!!

À l'occasion de toutes ces sinistres festivités de l'anniversaire, il tient à nous offrir en prime, un supervoyage touristique à Auschwitz-Birkenau ! Il avait l'air absolument réjoui en nous annonçant cette « bonne nouvelle » ! Certains ont posé des questions débiles, d'autres ont fait semblant de ne pas savoir où c'est, ni comment ça se prononce, et les plus fayots ont fait les emballés.

Je trouve que c'est carrément l'horreur ! Les profs ont décidé de se mettre en quatre et... à trois pour nous faire dégueuler nos tripes : Mlle Missika, la prof d'allemand, Blaise, le prof d'arts plastiques, et le sieur Chauvin qui, en plus d'être notre prof d'histoire-géo, est aussi notre prof principal. Ça va pas rigoler !

« Cette année, toutes les Terminales n'auront pas votre chance. Considérez-vous comme des privilégiés » a conclu le Chauvin (pas encore chauve) à la fin de son topo sur « Voyage à Naziland ».

Alors là, elle est bien bonne ! Notre chance ???
J'y crois pas !!! Je rêve !!! Moi, la vraie chance,
ç'aurait été de redoubler ma Première, comme ça,
je ne serais pas tombée sur Chauvin cette année,
et pile en 2004 avec ça, pour fêter dans une classe
d'abrutis l'ouverture des camps de la mort !

On est privilégiés de quoi ? D'avoir droit à un
voyage aller et retour au lieu d'un aller
simple comme les déportés ?

En plus, j'aimerais bien savoir pourquoi les
profs ont si généreusement choisi notre Terminale...
Est-ce parce qu'on est en L et que les S, leur bac à
eux, c'est du sérieux, alors que le nôtre, c'est de la
merde... ? Ça se pourrait bien. Les petits génies de
S, faut surtout pas leur bouffer leur précieux
temps de travail ! Nous, on nous embarque de
force dans le grand circuit en train fantôme genre
Foire du Trône. Pourquoi nous ? Mystère et
manque de bol ! J'en vomis d'avance !!

Et en plus, comme si cela ne suffisait pas, on
aura « l'honneur de recevoir la visite d'une femme
rescapée des camps » pendant l'année. Elle va venir
« en chair et en os » au lycée pour nous raconter
« comment elle a survécu à la Shoah, témoigner
pour les millions de morts », ce sont les mots de
Chauvin. Il tient à nous faire préparer nos
questions, des fois qu'on serait trop nuls le jour J !

Et on n'a pas eu droit au nom de la déportée parce que ce n'est pas encore sûr qu'elle puisse venir, vu son âge, sa santé, ses obligations. J'espère qu'elle se fera porter pâle le jour de la visite, puisqu'elle est tellement vieille et tellement surbookée. Ce qui est certain, c'est que c'est quelqu'un de connu. Enfin... connu des adultes... une personnalité, il paraît.

On peut dire qu'ils font les choses en grand sur ce coup-là, les profs. C'est vraiment la totale ! Le bouquet final ! Le feu d'artifice de nos années galère scolaire !!!

D'après ce qu'on nous a expliqué, au retour du séjour tragico-touristique, quand on aura bien joué les reporters d'« Enfer sans frontières » et de « Shoah-Ushuaïa », faudra préparer des panneaux pour une grande expo de fin d'année au CDI ou dans le hall. On affichera tous nos documents, nos textes, nos photos rapportées de là-bas. (Là-bas, c'est en Pologne).

Et pourquoi on nous demanderait pas de tenir un stand de souvenirs typiques des camps d'extermination, avec élèves anorexiques en pyjamas rayés, grande vente de « trésors de guerre », et vestiges historiques entièrement d'époque : cheveux montés en pompons de porte-clés, dents en or serties sur boucles d'oreilles, pendentifs avec flacon de cendres sous-vide, ou véritable herbier des charniers ? (J'ai appris à la télé que l'herbe est plus verte sur les fosses. Ça permet de les repérer vues d'avion.) Certains salopards regretteront peut-être les savonnettes 100 % graisse humaine et les coquets abat-jours en peau de fesse. Désolé, la maison est en rupture de stocks. Mais si vous aimez la poésie, rabattez-vous donc sur les cartes postales illustrées aux noms des camps pas si déprimants que ça :

Birkenau : la prairie aux bouleaux

Buchenwald : la forêt de hêtres

Auschwitz : de *Oswiecim*, « lumières » (en polonais).

D'ailleurs, c'est connu, les nazis, en plus d'être des assassins, étaient des amateurs d'art et de fins mélomanes, des littéraires cultivés et de grands romantiques sensibles à la rime et à l'opéra ; toujours la larme à l'œil à la lecture de Goethe ou à un concert de Mozart. C'est sûrement pour cette raison qu'ils avaient constitué dans chaque camp de la mort un orchestre de Juifs qui jouait de force, près de la « rampe », là où les wagons déversaient les milliers d'arrivants déportés avant de partir se remplir à nouveau dans toute l'Europe. Les musiciens devaient exécuter les airs commandés et de préférence entraînants, sinon, c'était eux qui étaient exécutés !

Vive la culture et la musique, qui, contrairement à ce qu'affirme le proverbe bidon, n'adoucit pas les mœurs ! Vive le génocide bien orchestré, et en mesure comme sur du papier à musique : une deux ! Maestro Hitler, s'il vous plaît !

Ignoble.

Oui, je sais, c'est moi qui suis ignoble d'écrire toutes ces insanités. Mais ce que je note là ne regarde que moi. QUE MOI !!! Et puis, après tout, je me sens suffisamment mal dans ma peau pour refuser d'endosser en plus tout le malheur du monde, le malheur de gens qui ne me sont rien. C'est de l'histoire ancienne, un chapitre clos du siècle dernier, d'un autre millénaire.

Moi, les Juifs, connais pas ! J'y suis pour rien si on les a massacrés et y a pas eu de nazis dans ma famille, que je sache. J'ai rien ni pour eux, ni contre eux. Juste marre d'entendre parler sans arrêt de leurs problèmes de victimes. Quitte à passer pour cynique, je me pencherai sur leur cas seulement parce qu'il le faut forcément pour le bac. Pas question de courir de risques : si jamais je faisais l'impasse dessus, et que la Shoah me fasse perdre des points et rater l'exam', je risquerais trop de leur en vouloir, aux Juifs. Je sais, ce serait débile mais je ne peux pas me permettre une sale note vu les matières faibles que je me trimbale.

Sans compter les appréciations plombantes que va sûrement me concocter la mère Picard sur mon livret scolaire !

Bref, quitte à passer pour un monstre, une sans-cœur, une anti-tout, je préfère même me désolidariser de ce Polonais suicidé de Yanek. M'en veux pas cher triste tonton si je refuse de tomber malade « à cause de la guerre » ou de me pendre comme toi dans ce sinistre pavillon de banlieue. Moi, je dois réussir mon bac à tout prix, pour retourner vivre à Paris. Pas mécontente le jour où je quitterai la Place de la Jamais-Contente !

Nuits

C'était toujours la nuit que ça la prenait
Elle en était sûre, quelqu'un marchait
Au-dessus de sa tête, au grenier.
La première fois, comme sa lampe de chevet
était en panne
Elle avait fini par trouver sa calculatrice
au fond de son sac et avec le peu de lumière
bleuâtre que cela donnait
Elle avait réussi à retrouver son calme.

Cette drôle de peur la reprenait toutes
les nuits.
Des pendus, des squelettes vivants :
Était-elle folle ? Devait-elle consulter
un docteur ?
Fallait-il qu'elle en parle à ses parents ?
Elle était certaine que son père trouverait ça
ridicule
Et que sa mère s'affolerait bêtement.

À force de passer des nuits à guetter l'ennemi,
Les bottes militaires, les gémissements
des mourants,
Elle ne suivait plus en classe, dormait
les yeux ouverts.

Parfois, à bout de forces, elle faisait croire
qu'elle était malade
« Encore ! ? » s'étonnaient les profs.
Ne rien répondre, filer aux toilettes
ou à l'infirmerie,
C'était l'unique solution.

Jamais elle ne raconterait son terrible secret
Mourir de peur, oui, mais pas de honte,
Telle était devenue sa devise.
Et en serrant les dents,
elle s'y tenait.

14 novembre 2004

Chapitre douze

Hors-jeu

« Même un paysage tranquille. Même une prairie avec vols de corbeau, des moissons et des feux d'herbes peuvent conduire tout simplement à un camp de concentration. »
Jean Cayrol, *Nuit et Brouillard* d'Alain Resnais

Depuis qu'on a été prévenus du programme de nos réjouissances 39-45, une rumeur (faut dire « buzz », sinon, ça fait ringard), enfin, des bruits farfelus circulent à propos de Picard qui aurait refusé d'y participer pour des raisons pas nettes. Dommage : à -15°, elle aurait été dans son élément, la mère surgelée ! Certains pensent (surtout les Renois et les Rebeux, comme ils se nomment stupidement eux-mêmes) que si elle n'y va pas, c'est parce que c'est une grosse raciste et même doublée d'une antisémite. Ah bon ? J'avoue que j'ai rien remarqué, mais seraient pas un peu paranos, les Noirs et les Arabes de la classe, par hasard ? Quant aux Juifs, j'en parle pas parce qu'il n'y en a pas.

Moi, la BBBB : la Blanche bien banale de base, je ne vois pas ce qu'ils ont à lui chercher des poux à

Picard. J'ai rien vu de raciste chez elle, à part le jour de la rentrée, au premier appel, quand elle m'a demandé un truc lourdingue à propos de mes origines à cause de mon prénom hébreu (qui, soit dit en passant, est mon plus beau cadeau de naissance, un nom qui sort de l'ordinaire, qui viendrait de Pologne comme celui de Yanek. C'est Maman qui me l'a choisi. J'adore !). Moi, je suis sûre que si elle m'en veut, la Pic-à-glace, ça n'a rien à voir avec mon prénom ou son origine... originale. À mon avis, c'est juste que ma tête lui revient pas et que je ne fais pas ce qu'il faut pour lui plaire. Elle réagit en prof, pas selon des convictions tordues. Les Zautres, ça n'a pas l'air de les choquer. La bourge de Paris qui s'en prend plein la tronche, c'est normal : ils applaudissent au jeu de massacre ! Entrez ! N'hésitez pas ! Le spectacle est gratuit !

De toute façon, avec ou sans Picard, il est absolument EXCLU que j'aille me les geler en troupeau dans leur foutu camp de la mort !!! Et je ne compte même pas leur dire, aux parents. De ce « séjour exceptionnel », ils n'en entendront pas parler, y a pas de risque : j'ai jeté la fiche d'inscription en boulette dans une poubelle de la rue ! PAS QUESTION QUE JE METTE ÇA SOUS LEUR NEZ. D'abord, ils ont assez de problèmes de fric comme ça, et puis moi, ça fait un bout de temps que la

Shoah, la Seconde Guerre mondiale, les chambres à gaz et tout ce cirque d'horreurs me sortent par les trous de nez et les yeux !

RAS-LE-BOL :

– Des profs qui nous bassinent depuis la primaire avec Anne Frank et son célèbre journal génial que Maman m'a offert relié, au CM2, et que je n'ai pas ouvert. Il m'a foutu les boules et rendue jalouse de cette fille, en plus !

– Marre des soirées télé sur Arte que les parents ne loupent jamais et qu'ils essaient de m'imposer « dans mon intérêt » : documentaires inédits en noir et blanc ou colorisés sur le soulèvement du ghetto de Varsovie, la Nuit de Cristal, et les néo-nazis européens rotant leurs bocks de bière, avec croix gammée, bottes de cuir et salut hitlérien en prime.

– Marre du ciné-club de Chauvin : *Le Pianiste*, *La Liste de Schindler*, *Sobibor*, *Nuit et Brouillard*. L'écran plein de monceaux de corps, de dentiers, de lunettes, de chaussures, de cheveux, de vêtements, de valises et de jouets d'enfants. Bébés arrachés aux bras de leurs mères hurlantes. Petits crânes éclatés contre les murs. Vieux religieux du ghetto ridiculisés, la barbe cisaillée sous les rires des SS. Crachats. Mourants et orphelins sur les trottoirs. 14 cheminées des crématoires ronflant nuit et jour pour transformer en flammes et en fumée noire des millions d'êtres humains nus, transis et sans défense. Pluie de cendres. Bidons de Zyclon B. Usines de mort industrielle. Expériences atroces pratiquées sur des vivants.

– Marre des procès de Bousquet, Papon, Touvier, etc. et de la sale gueule de fouine d'Eichmann, se disculpant dans sa cage de verre.

– Marre des inaugurations de plaques commémoratives aux portes des écoles et des lâchers de ballons blancs pour les enfants juifs déportés. En primaire, pour la cérémonie, chaque élève avait dû se charger de prononcer l'un des noms. Et quand je dis « charger » c'est que j'avais huit ans et l'impression qu'on me demandait de porter le cadavre d'un enfant sur le dos, que j'en serais responsable pour toujours. J'étais tellement effondrée d'avance que ce matin-là, comme par hasard, j'ai eu une énorme poussée de fièvre !!! Je me souviens de ma satisfaction, puis de ma stupeur, parce que Maman m'avait engueulée, m'avait secouée comme un prunier : elle ne me croyait pas, je devais cesser ma comédie parce que ces enfants-là concernaient absolument tout le monde. Je devais me bouger, fièvre ou pas. J'avais répondu que puisqu'on n'était pas juifs, je ne voyais pas pourquoi... Je n'avais rien compris à sa réaction. Ça m'avait choquée de la voir dans cet état, et si j'étais restée à la maison, ça avait été grâce à Papa, catégorique :

« Mireille, la santé d'abord ! Notre Shosha n'a pas à payer pour des enfants morts, juifs ou pas ! » avait-il décrété à ma mère qui était partie faire des courses en claquant la porte.

J'ai fini par oublier le nom de famille du garçon juif raflé dans ma petite école. Il ne m'est resté que son prénom et son âge : Jacob, 6 ans. Longtemps, je me suis excusée en pensée auprès de lui de l'avoir lâchement abandonné ce jour-là. Je lui ai même improvisé des prières à genoux. Je les faisais devant la photo d'un autre garçon de Varsovie, les bras levés devant des mitraillettes. Je l'avais déchirée dans une brochure de la maîtresse. J'étais pas nette, en ce temps-là. D'ailleurs, le lendemain, je n'avais pas osé me renseigner pour savoir si ce petit garçon juif était tombé dans l'oubli par ma faute, ou si un autre élève s'était chargé de lui rendre hommage et avait lâché le ballon blanc dans le ciel à ma place, avec son nom écrit dessus. Maintenant, je sais que, de toute façon, les 18 noms sont gravés sur la plaque, et ça me suffit. Je ne veux plus que ça me rende dingue. Je ne sais pas pourquoi, je suis malade rien que d'y penser.

– Marre de la Seconde Guerre. Marre de TOUTES les guerres ! Pas mes oignons !!! Foutez-moi la PAIX ! je ne veux rien avoir à faire avec tout ça.

Ça : quoi ?

L'EXTERMINATION
L'HOLOCAUSTE
LE GÉNOCIDE
LA SHOAH
LA SOLUTION FINALE

Je raye ces mots de mon vocabulaire !

Bien assez de ces images de mort incrustées en moi. Qu'est-ce que j'ai fait pour mériter ça ? J'ignore depuis quand ça m'esquinte, mais STOP ! Je n'en peux plus d'être envahie par ces corps dénudés, tatoués, outragés, fouettés, dépouillés, rasés, grelottants de peur et de froid, préparés pour l'abattage. Ces chambres à gaz bourrées d'humains et verrouillées, puis rouvertes vingt minutes plus tard pour vomir leur lot d'enfants et d'adultes encore chauds, entrelassés, empilés, encastrés les uns dans les autres. Tas de cadavres brisés, brinquebalants sur des charrettes à bras ou des brouettes, alignés en couches superposées et recouverts de chaux vive. Ravins creusés au cordeau par les condamnés eux-mêmes et fusillades en masse au bord des fosses.

Tout ce qu'on m'a dit, montré, lu. J'en peux plus. J'en veux plus.
Je n'irai pas :
– voir les lieux en vrai et respirer les charniers,

– marcher sur l'herbe grasse poussée sur les Juifs morts.

– avaler les cendres en suspension dans l'air.

Je ne veux pas pleurer non plus sur :

– les gogols,

– les homos,

– les tziganes,

– les communistes,

– les résistants.

et tous les civils qui se sont fait éliminer, fusiller, pendre, torturer, enterrer vivants, achever à coups de crosse.

OUBLIEZ-MOI !

Pitié !

Je me débats comme je peux depuis des années avec ces « trucs » qui m'horrifient, et je veux bien admettre que ce n'est pas politiquement correct d'écrire ce que j'ai écrit au-dessus, que c'est dégueulasse de refuser de participer à ces grandes messes commémoratives, mais je jure que je ne souhaite la mort de personne quelle que soit sa couleur, son origine ou sa religion.

Si tout le monde accepte d'aller s'enfoncer dans ces horreurs, de s'en repaître et de frissonner à ce spectacle, de frôler les fantômes de femmes, d'enfants, de vieillards, ça les regarde. Ils ont sûrement de bonnes raisons : moi pas !

Et puis, je sais que ce qui les motive, en fait, surtout les élèves et les profs, ce ne sont pas forcément les grands et beaux sentiments humanitaires : au fond, ils s'en foutent des victimes, des salauds de nazis, des camps d'extermination et des millions de morts. Tous des faux jetons comme moi, les élèves, et surtout cette année, parce qu'il semble que la Seconde Guerre tombera au bac, vu l'anniversaire début janvier. Alors attention, vite aux abris ! Le « devoir de mémoire » va encore frapper !

Et pour les profs, c'est pareil. Sûr que c'est pour se donner bonne conscience qu'ils font faire pieusement ce genre de pèlerinages glauquissimes. Tous des hypocrites ! Pour ne pas risquer d'être taxé de révisionniste ou d'antijuif, comme les Zautres disent de la mère Surgelée.

Je me demande parfois si je suis la seule à en avoir marre d'entendre parler de la Shoah. La seule à avoir du fil de fer barbelé plein le crâne et à ne pas le supporter.
Moi, Shosha,
ni raciste,
ni antijuive,
ni néo-nazie,
ni d'extrême droite,
ni coupable,

je jure que je n'en veux à personne, mais je n'ai pas le courage de me coller une étoile jaune par solidarité. Est-ce que je dois avoir honte de moi ?

Déjà bien assez de mal avec :
– le déménagement,
– le pendu à domicile,
– ma prof de philo et ma classe de minables,
– ma propre carcasse hideuse à trimbaler,
– mes nuits de cauchemars et mes journées d'angoisse...
Et si c'est de l'égoïsme, tant pis !
J'assume !
Quant à aller prendre l'air dans les camps, youkaïdi youkaïda, je trouve qu'il y a d'autres colos plus jouissives.

Dernier voyage

Ah si seulement...
Ah si seulement la nuit durait
Plus longtemps que le jour
Ah si seulement
On pouvait traverser sa vie
Sans cesser de dormir
Sans entendre le réveille-matin,
La cloche du clocher,
Les parents râler

Ah si seulement la raison
Succombait à la passion
Si chaque fois qu'on aimait
Cela pouvait se lire
Comme les yeux au milieu de la figure

Ah si seulement la fin pouvait venir
en un éclair,
Sans souffrir
Si les rêves étaient réalité
Ah si seulement
On acceptait le miroir,
Si l'on acceptait de se rencontrer soi-même,
Au soir, avant que la vieillesse
N'efface notre image...

Ah si seulement tout n'était qu'un mirage
De la naissance dans une cage
À la mort, dernier voyage...

Un beau matin
On aurait le courage.

20 novembre 2004

Chapitre treize

HORS PROGRAMME

« À dix-huit ans, j'ai vieilli. Je ne sais pas si c'est tout le
monde, je n'ai jamais demandé. »
Marguerite Duras, *L'Amant*

Ça y est, j'ai osé. C'est sûrement de la folie et ça va me coûter cher, mais vraiment, y avait pas moyen de faire autrement :

j'ai rendu une copie <u>blanche</u> au premier bac <u>blanc</u> de philo !!!

Enfin, presque...

J'avoue que je me suis sentie kamikaze. Pas style bombe humaine terroriste, mais plutôt à la japonaise, comme pendant la guerre, les aviateurs missionnés pour bombarder l'ennemi et se faire descendre, pintés au saké. Des samouraïs de l'aviation, quoi, de pauvres héros sacrifiés et sans parachute. (Ça, c'était au programme de l'an dernier, et j'arrive pas à l'oublier, pas plus qu'Hiroshima, d'ailleurs.)

Je sais bien que je n'ai pas de quoi pavoiser. Je ne suis ni une héroïne de guerre, ni une sainte martyre, et ma feuille blanche ne va sauver personne, juste me condamner un peu plus au mépris de la prof. Mais que fallait-il que je fasse avec un sujet pareil, un sujet qui m'a tout de suite fichue hors de moi :

L'AVENIR EST-IL UNE PAGE BLANCHE ? Dissertez.

À partir de ce moment-là, entre « hors de moi » et « hors sujet », il n'y avait qu'un pas, et ça n'a pas loupé, je l'ai franchi, je m'y suis précipitée !

Comment ? L'avenir, une page blanche ? Évidemment que non ! N'importe quoi !

La page a peut-être l'air d'être blanche, mais c'est complètement faux. Une illusion confortable. Parce que, comme sur un mystérieux parchemin, le passé y est écrit en filigrane ou à l'encre invisible. Le passé nous colle à la peau, il nous détermine et va nous modeler dès notre naissance, et nous portons, que nous le voulions ou non, le poids éreintant et souvent injuste de l'histoire des gens qui nous ont précédés !

Moi par exemple, je n'ai pas voulu naître... Non, prenons l'exemple d'un bébé né au mauvais moment de l'Histoire, de la « mauvaise » religion et dans le mauvais pays. Son avenir est écrit avec des larmes et du sang. Rien ne pourra y changer, à part un miracle. Voilà ce que j'ai voulu dire. Que lorsqu'on vient au monde, la page est déjà entamée ! Rien d'écrit à l'avance sur notre avenir, d'accord, mais chacun continue le roman familial comme il peut.

Et tout à coup, j'ai embrayé sur les camps, il n'y avait plus que ça qui me paraissait important à donner pour exemple.

Comment je suis passée du droit à la page blanche, aux numéros indélébiles tatoués sur le bras des déportés : mystère !

Je me suis mise à dénoncer les catastrophes ineffaçables de l'Histoire, l'avenir, cette page noire toute raturée et pleine de taches d'encre, qui nous met, aujourd'hui, dans l'impossibilité d'écrire librement la nôtre. J'ai dit que la page pouvait parfois rester blanche, par manque de mots pour raconter des événements trop inhumains, que parfois, la poésie et les romans y parviennent mieux.

J'ai parlé du suicide de Primo Levi, et aussi de celui de Bruno Bettelheim, deux rescapés des camps. Et puis j'ai repensé à la pendaison du grand-tonton Yan, j'ai parlé au nom de tous les bébés du monde qui n'ont jamais demandé à naître. Comme je les comprends !

Je ne sais pas ce qui m'a pris. D'habitude, j'en ai archi-marre de ces questions-là, et pourtant, je n'ai pas pu trouver mieux. C'est comme s'il fallait que j'affronte une vérité qui me touchait de près.

D'ailleurs, je suis un bébé qu'on a voulu massacrer, non ?

Mais est-ce l'unique raison pour laquelle je me suis engluée dans ces réflexions, dans ces cauchemars de guerre et ces fantasmes qui me persécutent si souvent jusqu'au dégoût ? Est-ce la faute de M. Chauvin et du foutu dossier que je fais en ce moment ? « L'Art dans les camps », ça m'intéresse, d'accord, mais ça finit par me prendre la tête, et comme on venait à peine de sortir du cours d'histoire, et qu'il m'avait félicitée pour les documents incroyables que j'ai trouvés à la médiathèque grâce à la nouvelle bibliothécaire sympa...

C'est pour toutes ces raisons réunies que j'ai foncé droit dans le mur : au lieu de traiter la mémoire, l'inconscient, ou un truc bateau sur la liberté, ou encore réutiliser un plan que la prof nous avait fait étudier sur « les leçons de l'Histoire », j'ai été envahie d'une espèce de rage qui m'a complètement submergée et j'étais heureuse d'écrire.

C'est comme ça que je suis partie dans tous les sens. En conclusion, j'ai mis que pour réussir à écrire sa vie, il faudrait arracher les pages du passé imposé, ou investir les marges. Qu'il est évident qu'on est tous prisonniers de ceux qui, avant nous, ont bouclé les premiers chapitres. Et j'ai été contente de ma dernière phrase, qui donnait ça, en gros (de mémoire) :

« La rature est impossible. L'effaceur à gommer le passé n'existe pas : il n'y a pas de page blanche. À chacun de l'inventer, comme l'artiste peint sa toile vierge. » Pas mal, non ?

Voilà. J'ai dévié grave. J'ai oublié de développer la croyance des religieux qui pensent que « tout est écrit ». Normal, je déteste l'idée de fatalité. (Et notre libre arbitre, alors ?)

Quand je me suis aperçue que j'étais à côté de la plaque, il était trop tard. J'avais déjà rempli trois doubles pages de brouillon (jamais écrit autant en philo, c'est dingue !), mais je savais très bien que je venais de me planter en beauté. En beauté et avec un certain panache un peu trop suicidaire. Je sens que ça va me coûter cher !

Pourtant, ça m'aurait arrangée d'avoir enfin une note correcte pour clouer le bec à Picard. Un hors sujet de plus, c'est risquer mon année, avec cette peau de vache.

J'aurais aussi aimé décrocher une note correcte pour rassurer un peu mes pauvres parents qui s'arrachent les cheveux à mon sujet ; je le sais, ils me bassinent sans cesse. Qu'ils reçoivent enfin la satisfaction d'un bulletin passable de la part de leur bonne petite fi-fille-sérieuse, dans la boîte aux lettres, en fin de trimestre.

Mais voilà : c'est pas la peine de rêver !

Donc, un peu avant la dernière demi-heure, quand j'ai relu en diagonale pour me mettre à recopier, j'ai compris que c'était fichu, et que de toute façon j'avais plus le temps. Alors, quitte à m'être plantée, j'ai décidé de ne rien rendre du tout. Un zéro, c'est plus facile à expliquer aux parents qu'un 5 ou 6. Et j'ai commencé à ranger mes affaires pour sortir la première, avant tout le monde. Comme je ramassais ma trousse et mes feuilles, la prof s'est mise à relever les copies du fond.

Bon, faut être honnête, ça ne s'est pas exactement déroulé comme ça.

Elle m'a vue, elle m'a fait signe de rester assise, puis elle est arrivée dans mon rang. Quand elle a posé ses yeux sur ma copie, elle a compris et là, incroyable : elle a insisté pour que je lui remette mon brouillon « quand même » !

« Ainsi, vous aurez quelques points, vous ne serez pas complètement pénalisée. Mais au bac, je vous rappelle que le zéro est éliminatoire et que les brouillons ne sont jamais acceptés. »

Ça m'a tellement étonnée de sa part, à cette tueuse, que je suis restée sans voix. J'ai à peine pu bafouiller merci.

Depuis, j'ai beau y repenser, je ne vois pas pourquoi elle a fait ça, mais j'aurais tendance à me méfier.

Je m'attends à un truc vicelard de sa part. J'y crois pas du tout à sa générosité. D'ailleurs, sa bouche était pincée et ses pupilles gris acier me fixaient, pendant qu'elle me parlait.

Ça doit être par pur sadisme qu'elle m'a fait la charité. De toute façon, brouillon ou pas, je serai hors sujet. C'est jugé d'avance.

Je l'entends déjà, avec sa voix aigre et sarcastique, me rendre mon devoir :

« Shosha, zéro ! Record battu ! Toutes mes félicitations ! »

Et les autres seront pliés en quatre, et je me sentirai une fois de plus
HORS DU COUP,
HORS SUJET,
HORS DE MOI,
et pleine d'une forte envie d'être
HORS-LA-LOI.

Appelez-moi Calamity Shosha !

L'élève en avait marre
de la philosophie

Eskeuchpeusortir keladi :

Ya une mare de sang
au pied de l'escalier...

Laphiloménalamort !

23 novembre 2004

Chapitre quatorze

UN TRAIN PEUT EN CACHER UN AUTRE

« Mon nom est 174517... »
Primo Levi, *Si c'est un homme*

« Ce n'était pas un monde
ce n'était pas l'Humanité.
Je n'en étais pas
Je n'appartenais pas à cela. »
Jan Karski, *Shoah* de Claude Lanzmann

Paraît, d'après Chauvin (d'une humeur massacrante), qu'à cause d'un problème de budget du lycée et du refus de certains parents de laisser partir leur enfant à Auschwitz, le voyage est annulé. Il semblerait que le proviseur a également renvoyé des papiers administratifs trop tard et qu'il y est donc pour quelque chose.

Chauvin n'était pas à prendre avec des pincettes : c'était la première fois qu'il organisait un séjour pareil pour les élèves, et il a pris ce ratage comme un affront personnel. On n'en saura jamais les vraies raisons, mais moi, je m'en fous :

JE SUIS HYPERCONTENTE !

Plus besoin de savantes stratégies pour me défiler de la rando touristique aux camps ! Génial !

Pourtant, c'était trop beau : pas eu de quoi me réjouir longtemps : en « remplacement », il a décidé de nous emmener en pèlerinage... à la gare de triage de Bobigny !!! Parce que c'était la gare de déportation qui dépendait du camp de Drancy, celle d'où sont partis des dizaines de milliers de Juifs raflés par-ci par-là dans tous les arrondissements de Paris et en province. Et parce que cette gare, au mois de janvier, va être classée monument historique, cesser d'être un dépôt de ferrailles et devenir un site de commémoration à visiter !

Et voilà ! C'est reparti !! Charmant, notre lot de consolation ! Bienvenue sur un haut lieu du crime, mais pas seulement du crime nazi, parce que ce sont des policiers et des autobus parisiens relayés par des cheminots français qui ont envoyé les Juifs vers le « chemin de fumée ». « On va à Pitchipoï », qu'ils disaient, les Juifs, leur baluchon à la main. Ils ignoraient tout de leur destination « à l'Est », et ce qu'ils feraient « là-bas » où on leur promettait du travail, où on leur faisait même miroiter des camps résidentiels tout confort, clés en main.

Isabelle Servan, la meilleure de la classe, a justement choisi de faire son dossier sur le rôle de la SNCF pendant la guerre. Elle a quelque chose qui m'intimide, cette fille. Les gars se foutent d'elle et les autres filles la jalousent. Dans la queue du self, j'ai pris mon courage à deux mains et je lui ai parlé du wagon rouge de la médiathèque.

Je retranscris sa réaction que j'ai trouvée des plus bizarres.

Dialogue :

« — Un wagon ? Et quoi encore, me manquerait plus que ça !

— Ben quoi, j'vois pas le problème...

— Laisse tomber, pas pour moi. Et puis, j'ai trop de boulot en ce moment. La SNCF, j'en ai jusque-là, avec mon dossier d'histoire... »

J'hallucine ! Pour qui elle se prend, celle-là ? La plus malheureuse ? La reine des victimes ? Si son dossier lui donne des boutons, elle n'est pas la seule ! Y a un type de la classe qui travaille sur les médecins nazis dans les camps. Qu'est-ce qu'il devrait dire, lui ?

Et puis, moi aussi j'en ai plein les pompes de la guerre. Je suis peut-être encore plus obsédée qu'elle par le sujet !

Bon. Je ne sais pas par quel miracle j'ai réussi à ne pas lui gueuler dessus. J'ai préféré lâcher vite fait la discussion « wagon rouge », et je l'ai laissée en plan, la Servan. Pour une fois que je faisais un effort pour être sympa !!... Plus question de lui adresser la parole, ni aux Zautres non plus, d'ailleurs. Et tant mieux si je passe une année pourrie sans me faire d'amis dans ce bahut de tarés ! Je ne compte pas prendre racine dans cette banlieue de merde et y passer ma vie. Je ne pactise pas avec l'ennemi, moi !

Heureusement que j'ai encore mes vrais de vrais copains de Claude Monet, même si on ne fait que s'envoyer des textos et des mails vu nos emplois du temps de cinglés qui ne concordent pas. Et en plus, pour moi s'ajoutent les trajets craignos qui ne sont pas... gratos ! (J'ai fraudé l'autre jour, et ça ne m'a pas porté bonheur !!!)

En ce moment, ça n'arrête pas. De quoi se sentir cerné (même si on n'est pas concerné), par 39-45, et pas seulement à cause du programme. On dirait que le monde entier s'est donné le mot : ils n'arrêtent pas d'en parler partout et encore plus que d'habitude – dans les journaux, sur les radios et à la télé sur toutes les chaînes. Les journalistes en font des tonnes : la libération des camps par-ci, le « travail de mémoire » par-là, et les interviews illustrées de documents d'archives inédits. C'est du non-stop ! On dirait que les gens découvrent la barbarie du siècle dernier, et que ça les excite.

J'en ai un exemple ultra-affligeant à domicile : mes propres parents qui n'ont rien à voir avec ces trucs-là, que je n'avais jamais entendu parler de cette période de l'Histoire, qui d'habitude se jettent plutôt sur des navets américains, je les vois rester scotchés des soirées entières devant l'écran sans parler. Silence de mort. Dès que je veux ouvrir la bouche, c'est « Chut ! » ou bien : « Ne rate pas ça : t'as de la chance, c'est pile à ton programme ! »

Ne pas rater quoi ??? La vue imprenable du haut des miradors sur les barbelés électrifiés ? Attendre qu'un mort-vivant en pyjama s'y précipite pour en finir ? Le voir troué de balles ? Et autres scènes insupportables...

Je sens qu'un de ces soirs, je vais exploser : « Foutez-moi la paix avec votre Shoah !!! Je la connais trop par cœur. J'ai rien contre, je suis la première à en être épouvantée au-delà du supportable. MAIS c'est votre fascination morbide qui me dégoûte ! »

Mes parents, on dirait des voyeurs, ma parole ! Ils ne perdent pas une seconde de chaque interview de témoin, de chaque larme de rescapé démoli. Est-ce que c'est encore « à cause de la guerre » comme pour grand-tonton Yanek, le vaguement Polonais ? Qu'est-ce qui fait vibrer tellement mes parents, surtout ma mère ?

Dans ces moments-là, je ne vois qu'une seule chose possible : lorsque je sens que je vais me mettre à dire des insanités, je monte me rapatrier illico dans ma chambre, avec un alibi en or : bientôt les contrôles ! Je déteste les conflits : ce sont toujours les parents qui essaient d'avoir le dernier mot. Donc, ma stratégie, c'est de fuir :

– fuir le salon,

– fuir mes veaux de parents avachis et fébriles,

– fuir l'écran où me fixent ces hommes qui n'ont plus rien d'humain, ces femmes hâves, dépenaillées, à peine identifiables,

– fuir ces corps décharnés, allongés dans des caissons de paille, entassés sur les châlits superposés. Si peu de vie dans les yeux, si peu de peau sèche plaquée sur les os, qu'on n'est pas sûr qu'ils respirent encore. Et des gestes ralentis, des regards immobiles.

Je refuse de les regarder en face. J'ai l'impression de les avoir toujours vus, de les avoir connus. De devoir y repérer quelqu'un, mais qui ? Il n'y a eu ni valeureux résistants, ni affreux collabos dans la famille, si j'en crois ce que m'ont dit les parents.

Alors, tous ces fantômes en loques rayées, ces épaves ambulantes dévorées de poux, de typhus, de vermine, ces squelettes aux crânes rasés, que me veulent-ils à moi ? Qui regardent-ils fixement dans l'objectif de la caméra :

– les GI venus les délivrer ?

– les soldats de l'Armée Rouge enfin arrivés ?

– leurs bourreaux SS ?

– les futurs spectateurs de leur massacre dont je fais partie ?

Leurs regards noirs de morts-vivants, au fond de leurs orbites creuses me terrifient. C'est comme si c'était moi qu'ils pointaient. Et leurs yeux sont tellement éteints qu'ils paraissent impossibles à décrypter : ni douleur, ni fureur, ni reproches, et pourtant je me sens visée, mise au banc des accusés. Accusée d'être en vie.

Je veux rester sourde et aveugle à ces monstruosités. L'autre soir, j'ai prétexté un mal de ventre pour sauter le repas : je n'aurais pas pu tenir devant de telles scènes, encore moins digérer après le dîner, affalée comme une grosse beauf' dans le canapé.

J'avais vraiment envie de gerber. Les parents ne semblent se douter de rien. Et moi, je suis de plus en plus murée dans mon silence :

« Quoi de neuf, Shosha ?

— Rien ! »

Je réponds le minimum obligatoire du bout des lèvres, et je m'éclipse.

Cet après-midi, après les cours, je suis retournée au wagon rouge pour être tranquille et m'avancer sur mon dossier. J'ai repensé à Isabelle Servan et à sa réaction au quart de tour. Ce wagon, c'était comme si, pour elle, il représentait autre chose qu'un simple wagon. Du coup, j'en suis ressortie plus cassée, plus énervée encore, toujours sans réponse à mes lancinantes questions, et la tête pleine d'idées noires. Je crois que je vais finir par ne plus y aller. On dirait que c'est mauvais pour ma santé mentale, à moi aussi ! Tout le contraire des gamins qui s'y vautrent douillettement à l'heure du conte, dans les gros poufs moelleux sous les deux yeux ronds des hublots. Heureux innocents !

Moi, j'ai passé l'âge des contes de fées. Longtemps que je ne crois plus à tous ces bobards. On ne peut plus me bercer de mensonges. Parfois, j'aimerais redevenir petite et avaler encore toutes les âneries des adultes. Ne pas voir en face, avec lucidité, les laideurs de l'existence.

En rentrant, j'ai quand même annoncé aux parents qu'on aurait une sortie à Drancy-Bobigny avec Chauvin et la classe, et qu'on avait même failli visiter Auschwitz. Maman a trouvé que c'était une excellente initiative de la part des profs, qu'on n'en ferait jamais assez avec cette période de l'Histoire, la plus tragique de tous les temps, que l'antisémitisme n'était pas mort, et que bientôt, quand le dernier survivant le serait, des salauds ne se gêneraient pas pour expliquer que les camps n'ont jamais existé.

Mon père est arrivé sur ces entrefaites, et il a embrayé sur mes dates de bac blanc. C'est tombé pile, je commençais à ne pas me sentir très à l'aise, vu mon overdose perso de Shoah en ce moment.

Bizarre de voir Maman monter au créneau sur ce thème. Ça m'a rappelé le coup de l'inauguration de la plaque des enfants juifs à ma petite école.

Si elle se doutait que l'annulation du projet Auschwitz m'a drôlement soulagée, j'imagine dans quel état elle serait !...

Extermination

Dans la tempête, les destins s'étiolent,
peuplés d'homonymes.
Hommes, égarez-vous !
On vous a faits prisonniers d'un labyrinthe.
On vous a déshumanisés avec méthode
Pour que votre meurtre dure éternellement.
À vous voir
J'ai perdu le cristal de la fleur
Sa tige reste fichée dans mon cœur.
Comment la vie resplendirait-elle ?
Me voici pour toujours aveugle à ses
merveilles.
Mes yeux, éteignez-vous !

10 décembre 2004

Chapitre quinze

HORS CONCOURS

« Le nom d'un homme n'est pas comme un manteau qui pend autour de lui, qu'on peut tirailler, arracher, mais c'est un vêtement parfaitement ajusté ; quelque chose comme une peau qui l'a recouvert entièrement et qu'on ne peut gratter ou écorcher sans le blesser lui-même. »
Goethe, *Maximes et réfléxions*

Finalement, j'aurais préféré que Picard me foute la paix, qu'elle ne me fasse pas le coup de la bonne âme qui vous repêche de justesse du haut de sa magnanimité le jour du bac blanc de philo. J'ai regretté le zéro, c'est un comble ! En fait, j'avais raison de me douter qu'elle magouillait quelque chose de louche : elle m'a méchamment piégée en ramassant mon brouillon !

Aujourd'hui, quand elle a rendu les copies, elle avait soigneusement préparé son coup, fignolé sa mise en scène. Elle a pris tout son temps.

Ç'a a été sanglant : elle a jubilé en sortant lentement la pile de copies de son cartable, et elle s'est délectée à nous les rendre du meilleur au pire, l'un après l'autre, au compte-gouttes, genre supplice chinois.

Et bien sûr, ce qui devait arriver est arrivé : j'ai eu droit à ma copie en dernier, après tout le monde, et même après la plus mauvaise note. Parce que moi, j'étais, paraît-il, « de loin la pire ».

Elle a laissé passer quelques lourdes secondes bien glauques, tenant mes feuilles pincées entre ses sales griffes manucurées. Elle a bien fait monter le suspens au maxi et... mon stress en même temps, puis elle a déclaré de la voix théâtrale de quelqu'un qui s'écoute parler, et après avoir réclamé le silence général :

« Shosha : 3/20 par pure charité chrétienne, et pour le papier ! Avec vous, décidément, il n'y a pas de surprise : le hors sujet était garanti, c'est votre marque de fabrique, mais cette fois-ci, vous vous êtes surpassée. Le torchon que vous m'avez rendu, c'est plus fort que tout : c'est du "hors concours", du "rien" absolu ! Et puis, qu'est-ce qui vous a ramenée à la Seconde Guerre mondiale ? Avec quel brio vous êtes passée de la page blanche du sujet à la copie blanche ! Bravo, c'est un véritable exploit. Du jamais-vu dans ma carrière. Mes félicitations ! »

Sur le coup, j'ai failli m'effondrer, mais comme tous les regards des abrutis de la classe lorgnaient vers moi, il n'était pas question de leur offrir la satisfaction de mes larmes. Pas question de chialer devant eux. Ils auraient été trop contents !

Quand le cours a repris et qu'ils ont décollé leurs yeux bovins de ma triste personne, j'ai essayé de relativiser, de me dire que tout n'était pas perdu, que je saurais rebondir ou même prendre ma revanche une autre fois. Je ne savais pas comment ; pourtant, il fallait que je m'accroche à ce maigre espoir. Après tout, ce n'était que le premier bac blanc. Il y en aurait deux autres.

Mais je n'aurais jamais imaginé que mon calvaire n'était pas terminé, qu'elle continuerait à se foutre de moi et à m'agresser encore.

« Je sais, mademoiselle Shosha, que pour vous, la philo, c'est de l'hébreu, ce n'est pas une raison pour ne pas prendre des notes. Je vous signale que je suis en train de dicter les corrigés. Il ne faudra pas vous plaindre si vous ne comprenez rien après, ou venir pleurnicher si vous êtes recalée au bac ! »

La classe s'est remise à s'esclaffer mollement. Tout ce qui peut empêcher de travailler deux minutes et faire diversion est le bienvenu. En plus, pendant qu'un élève est sur la sellette, il sert de paratonnerre aux Zautres et aucun élève ne craint plus les foudres de la prof.

« C'est de l'hébreu. » Venant de cette prof, et pour la deuxième fois de l'année, cette remarque m'a exaspérée. Surtout depuis ce qui circule à son sujet à propos de son refus d'aller à Auschwitz.

Mais ce n'était pas fini : pendant le corrigé, elle est revenue à la charge contre moi et a remis en cause le suicide de Primo Levi que j'avais pris comme exemple dans ma dissert'. Elle a osé dire que Primo Levi ne s'était pas suicidé, que c'était un accident s'il avait basculé par-dessus la rampe de ses escaliers. La rampe. Ce mot prononcé par sa bouche de vipère m'a soudain glacée.

Déjà hyper-remontée par son allusion à mon prénom, moi qui faisais de mon mieux pour serrer les dents et les poings... quand j'ai levé le doigt pour réagir, c'était comme pour vomir. Plus fort que moi et je ne comprends pas encore pourquoi.

Il fallait que je parle de la « rampe », justement. Et du suicide et de la difficulté de vivre des rescapés. Il fallait que je dise qu'on n'a pas le droit de voler sa mort à un type qui a choisi d'en finir. Que c'est aussi grotesque que de nier que Bruno Bettelheim a mis sa tête dans un sac en plastique pour se gazer tout seul.

Je parlais, parlais, sans la laisser me couper la parole. Rien ne pouvait plus m'arrêter. La silhouette pendue de Yanek était là à se balancer au plafond de la salle, et je parlais pour lui et pour moi aussi parce que, à ce moment-là, rien ne me faisait plus peur, ni la prof, ni un renvoi, ni même le suicide. Je crois que ce sentiment de colère, de révolte et de toute-puissance, je ne l'avais pas ressenti depuis une autre rampe : celle à laquelle je m'accrochais avec férocité du temps de la maternelle. Rien ne me retenait plus.

La Picard a été un peu déboussolée. Pour reprendre la situation en main, elle a joué à la prof moderne, large d'esprit : elle ne voulait pas perdre la face devant les Zautres qui commençaient à s'agiter. Elle savait pertinemment que si elle m'ordonnait de sortir je ne sortirais pas, et qu'elle serait ridiculisée. Alors, l'air de rien, elle m'a donné la parole :

« Eh bien, puisqu'on ne peut pas vous interrompre, expliquez-vous donc, mademoiselle ! Mais sachez qu'une fois de plus, vous me donnez raison : car vous faites la preuve de votre hors sujet. Décidément, j'ai été trop bonne de ramasser votre brouillon et de vous avoir fait une fleur avec mon généreux 3/20. »

Alors, j'ai tout dégueulé en vrac : la rampe d'Auschwitz, le déverrouillage des wagons. L'évacuation des vivants et des morts après le voyage, sous les hurlements, coups de fouet et de matraque, aboiements des SS et des chiens, familles déchirées, sélection des déportés mis en rang sur deux files, dont l'une, celle des enfants, des mères, des malades et des vieux ressortirait dans l'heure par les cheminées du crématoire. Et en fanfare !

Je ne savais pas ce qui m'arrivait ni pourquoi ; un peu l'état dans lequel m'avait mis la dissert'. Les visages décavés des victimes se superposaient à celui de la prof qui gesticulait au tableau. Les Zautres sentant qu'il se passait quelque chose de sérieux, ont fini par stopper leurs commentaires ricanants et se tourner vers moi. J'en ai entendu un qui voulait intervenir : « Mais m'dame... », une fille derrière moi m'a tapoté dans le dos, et à ce moment-là, profitant que je me retournais, Picard a lancé :

« Shosha, un peu de concentration, je vous prie. N'aggravez pas votre cas, vous le regretteriez amèrement ! »

Brusquement, je me suis levée, sans rien demander. Ma trousse a voltigé. J'ai hurlé comme si elle venait de me brûler :

« Les camps, jamais vous n'arriverez à m'y mettre ! Plutôt crever que d'entendre des trucs pareils ! Jamais, je vous dis, jamais vous n'aurez ma peau !! Vous devriez coller « *Arbeit macht frei* » au-dessus de la porte de votre salle, comme à Auschwitz, et n'oubliez pas de l'écrire en allemand, comme ça, on saura tout de suite où on est et avec qui ! »

Mon sang battait dans mes oreilles. « Crise, insolence, parano, renvoi, dehors » étaient les mots qui émergeaient pendant que je m'emparais de mon sac sans me retourner.

Quand j'ai passé la porte, j'ai senti derrière moi un silence nouveau, un vague murmure de respect de la part des Zautres. Pic, la bouche ouverte, restait sans voix à son bureau.

De rage, j'ai failli me frapper le front exprès contre une vitre du couloir pour la péter, et puis j'ai foncé aux toilettes du deuxième étage. Il fallait que je me calme.

« Rampe. Primo Levi. Hébreu. Concentration. » Chaque mot prononcé par la prof continuait à m'exploser la tête.

L'heure n'avait pas sonné, le couloir était encore désert et les salles fermées, alors je me suis écroulée sous un porte-manteau.

Nulle

Qui était-elle vraiment ?
On lui disait qu'en grandissant
Elle apprendrait à se connaître
Ça lui faisait un effet bizarre
De se dire qu'elle risquerait de découvrir
En elle un jour, une personne
Qui pourrait lui déplaire.
Et puis, avait-elle vraiment envie de grandir ?
Était-elle d'accord pour quitter les rivages
de l'enfance ?

Elle se sentait bonne à rien
Les gens le lui faisaient souvent remarquer
Surtout les profs et son père
Comme s'ils étaient de mèche.

Pleurer, c'est tout ce qu'elle parvenait à faire.
Le lycée, l'ennui et au lit.
Elle était incapable d'appeler au secours,
de crier sa difficulté à se lever le matin.
Ce moment était d'autant plus douloureux
que sa mère douce et prévenante lui disait,
en ouvrant les rideaux :
« Presse-toi, ma chérie à moi, tu vas te régaler :
fini le dodo ! Les pancakes sont chauds

et dégoulinent de sirop d'érable.
À table ! »
C'était pire que tout, cette honte coupable,
d'être nulle, moins que rien, minable.
Fille banale. Fille bancale.
Pas la fille idéale.

19 décembre 2004

Chapitre seize

Hors-cadre

> *« Plus une chose est importante, plus il semble*
> *qu'on veuille la taire. [...] Tout silence n'est fait*
> *que de paroles qu'on n'a pas dites. »*
> Marguerite Yourcenar, *Alexandre ou Le Traité*
> *du vain combat*

> *« La tradition des générations mortes pèse très lourd sur*
> *le cerveau des vivants. »*
> Karl Marx, *Le 18 Brumaire de Louis Bonaparte*

Je voulais sortir du bahut, mais à la porte du hall, j'ai eu peur d'être accrochée par Picard si jamais elle était à ma poursuite, ou pire, par le proviseur, si elle l'avait prévenu. Alors, je me suis dit qu'il valait mieux attendre la sonnerie et la cohue de la sortie de l'après-midi pour mieux passer inaperçue.

Comme c'était veille de vacances, à part un coup de fil immédiat aux parents, je ne voyais pas ce que je pouvais bien craindre de la part de la direction. La suite des réjouissances, ce ne serait pas avant à la rentrée. J'espère gagner quinze jours de sursis, après, je sais à quoi m'attendre :

représailles, convocation des parents, colle, renvoi, excuses au prof ou pire : conseil de discipline. À moins que les vacances ne fassent retomber la pression. Ce serait un supercadeau de Noël, même si je n'y crois pas vraiment.

Il ne faut pas penser que cette prise de bec avec la Pic m'a fait du bien. J'avais les jambes en compote, j'étais persuadée d'en avoir trop fait et peut-être bien d'être partie en *live*. Alors, quand je suis remontée dans les étages pour attendre l'heure de me défiler en douce, je n'étais pas fière de moi. Pourtant, je n'arrivais pas à me sentir coupable. Mal à l'aise, oui, mais pas vraiment coupable.

Je suis restée un long moment à me demander comment j'aurais le courage de rentrer à la maison, regarder les parents en face, et répondre joyeusement à leur : « Alors Shosh' quoi de neuf, bonne journée ? » Mais une chose est sûre, je suis bien renseignée : les bulletins sont déjà sous enveloppe dans la loge. Alors, pas de scène du II en perspective, rien à craindre dans l'immédiat avec les parents : ils ne seront pas avertis du clash avant janvier. Deux semaines peinardes, ce ne sera pas de trop, déjà que la période des fêtes, je n'en raffole pas : ça me fiche le bourdon.

Sur le palier du 1ᵉʳ étage, j'ai tourné dans le couloir où se trouve un bureau que certains appellent « spécial » : le bureau de Mme Trener. Il était ouvert.

C'est la prof de Lettres des Premières. Elle a créé une salle « porte ouverte » pour les élèves qui ont envie de s'exprimer librement. Elle appelle ça « lieu d'écoute ». Ça n'existe pas dans les autres bahuts, ce n'est pas un truc officiel imposé par l'Éducation nationale. À certaines heures de la semaine affichées sur sa porte, Jeanne Trener est présente pour n'importe quel élève et sans rendez-vous. Celui ou celle qui veut entrer parler peut le faire. Moi, c'est le genre de prof qui m'exaspère à jouer les bonnes sœurs, les saintes nitouches, les assistantes sociales. Pas confiance. Et je me méfie encore plus lorsque ce genre de bonne femme fait la psy de service. Je n'ai jamais cru au secret professionnel, alors encore moins dans un lycée et de la part des enseignants !

Je longeais le plus discrètement possible le couloir, en rasant les bombers noirs et orange, et les doudounes fluo branchées, quand, passant près du bureau en question, davantage par réflexe que par curiosité, j'ai glissé un œil à l'intérieur. La prof était là, seule. Au même moment, elle a levé la tête et croisé mon regard, et comme j'étais figée, à contre-jour, dans l'encadrement de la porte, elle a cru que je voulais entrer. J'étais bouffie de larmes. Elle m'a fait un geste très naturel de la main. J'ai hésité, puis sans trop réfléchir, d'un pas, j'ai franchi le seuil. C'est comme ça que je me suis retrouvée assise dans cette salle « spéciale », devant cette prof « spéciale ». C'est comme ça que, par hasard, il m'est arrivé quelque chose de « spécial » dans ce bahut ordinaire.

Les murs y sont recouverts de livres et de registres toilés de noir. Deux plantes vertes et une lampe de bureau ancienne, en opaline. Un endroit qui m'a fait plutôt l'effet d'un cabinet de médecin ou de notaire, ou bien de ce que j'imagine être la bibliothèque d'un écrivain. La lumière était douce, un peu rosée, le soleil filtrait à travers les rideaux en voile couleur pêche. Et moi qui étais pourtant sur mes gardes, prête à bondir et à m'enfuir au diable, je me suis tout de suite sentie bien, là. En sécurité. Je me suis posée et j'ai posé mon sac. Peu à peu, ma respiration est redevenue normale. Je me suis laissé entourer par la paix et la douceur. J'étais loin de l'usine du lycée, loin de la banlieue. J'étais arrivée sur une île inconnue, dans une sorte de bulle protégée, hors du temps.

Jeanne Trener s'est levée pour aller fermer la porte que j'avais laissée grande ouverte, puis est venue se rasseoir. Après un court silence, comme si elle attendait que je parle la première, elle m'a demandé si je savais où j'étais et à quoi servait cette salle. Aucun son ne voulait sortir de ma gorge. J'ai juste hoché la tête et rejeté mes cheveux en arrière en essayant de soutenir son regard. J'étais vidée.

— Ça n'a pas l'air d'aller très fort, on dirait. J'espère que vous sortirez d'ici mieux que vous n'êtes entrée, mademoiselle. Au fait... mademoiselle... ?
— Shoah, je m'appelle Shoah !
— ... ! Comment ? !

D'abord, je n'ai pas compris la stupeur de la prof, son silence, sa réaction, et puis, j'ai soudain saisi ce que je venais de dire. Énorme. Violent. Et je me suis écroulée en sanglots. Je ne pouvais plus m'arrêter.

Pendant tout le temps que j'ai pleuré, la prof m'a parlé. Au début, je ne voulais rien écouter, la tête enfoncée dans les épaules. Peu à peu, ses phrases se sont frayées un passage. Elle m'a tendu une boîte de mouchoirs en papier toute neuve, et pour me dérider, après que je lui eus donné mon « vrai prénom », elle m'a félicitée de mes larmes « bienvenues entre ces murs » :

« Vous, au moins, vous savez faire bon usage de mon bureau des pleurs. Je vous en remercie ! Grâce à vous, je ne me sens pas tout à fait inutile ! »

Elle souriait. J'ai aimé sa façon légère d'être sérieuse.

« Comme vous le savez, Shosha, je suis professeur de lettres, pas psychanalyste. Mais enfin, vous et moi, on ne peut pas faire comme si on n'avait rien entendu. Au programme de philo, vous avez bien Freud, que je sache, et c'est vraiment le lapsus du siècle, vous êtes d'accord avec moi, n'est-ce pas ? »

Son « vous et moi » m'a tellement bouleversée que j'ai encore repleuré quelques litres. En confiance cette fois, parce que cela venait de m'apparaître comme une évidence : un lieu pour pleurer, c'était exactement ce qu'il me fallait, ce qui me manquait à crever, depuis des mois et des années.

À cet instant, je me suis sentie moins seule. J'ai pensé une fois de plus à Yanek, toujours lui, à son spectre encombrant qui vient frapper chez moi lorsque je vais mal. Lui qui n'a sans doute pas eu la chance de trouver un « bureau des pleurs » au bon moment, et qui en est mort. J'ai reniflé, repris mon souffle et je me suis mise à tout déballer sur lui, sur son suicide, sur mes obsessions depuis le déménagement, et même avant. J'ai dénoncé le

« à cause de la guerre » et la minable tromperie des adultes, et cette Shoah qui, en effet, me persécute et à laquelle j'en veux, la preuve !

« La clé est parfois à portée de main. Vous savez... comme dans Barbe Bleue. » J'ai aimé ses références à un conte.

Elle a repris :

« Je vous souhaite de ne pas avoir à exhumer trop de morts de vos placards. Mais il y en a dans chaque famille, savez-vous ? Quand vous aurez fait l'état des lieux, compté et recompté les disparus, récupéré et recoupé les données, vous pourrez refermer les battants du placard et vous vivrez votre vie, enfin. Croyez-en le bel alexandrin de Racine : *Il n'est point de secret que le temps ne révèle.* Quant à votre lapsus, pourquoi ne chercheriez-vous pas une réponse de ce côté-là, du côté littéraire, je veux dire ?... Pour ne m'en tenir qu'à mes compétences, je vous suggérerais d'aller vous procurer un roman qui porte rien moins que votre prénom. Vous connaissez ? Écrit par Isaac Bashevis Singer dans les années 70. Après tout, dans l'acte de nommer un enfant la marge de hasard est faible, l'inconscient des parents affleure, vous voyez ? Il suffit parfois de gratter une fine couche pour savoir de qui l'on a hérité son nom et pourquoi. De Shosha à Shoah, vous saurez peut-être mieux de quoi votre lapsus et votre identité sont faits... »

À la sortie du lycée, j'ai pris tout mon temps pour rentrer. J'avais besoin de me remettre de mes émotions. Il faisait déjà nuit à cause de l'heure d'hiver, une bise glacée circulait entre les blocs d'immeubles, mais cela ne m'a pas empêchée de faire un crochet par la médiathèque, en prenant la précaution d'envoyer un SMS à ma mère. Lorsque j'ai eu entre les mains le livre à la couverture rose qui portait mon prénom, je me suis précipitée au dos, sur la 4e et j'ai lu : « *... dans ce roman l'univers familier d'Isaac Bashevis Singer, peuplé de rabbis miraculeux, de sages et de fous, de savants talmudistes et de jeunes révolutionnaires, on le voit comme illuminé de l'intérieur, transfiguré par la présence de la petite Shosha qui restera ce qui est peut-être le sommet de la création romanesque : un personnage inoubliable.* »
INOUBLIABLE.

Quand je suis rentrée à la maison, pour une fois, les parents avaient l'air détendu. On sentait comme un air de fête. J'ai décidé de tirer un trait sur TOUTE ma journée et de profiter lâchement, sans rien dire, du bon pot-au-feu mijoté avec amour par Maman, suivi d'un chouette DVD loué par mon père, parce que « vive les vacances, ma Shosh'. Repos ! ».

J'avais besoin de chaleur et de me faire dorloter, j'avais besoin qu'on m'aime, et tant pis si j'étais loin de le mériter, et tant pis si c'était une soirée de bonheur « pour de faux » ! J'ai même bondi pour embrasser Maman par surprise dans les mèches chatouilleuses de son cou. Longtemps que cela ne m'était pas arrivé.

Surtout, arrêter de penser. Respirer. Oublier.

Mais en montant dans ma chambre pour aller me coucher, la Shosha juive de Pologne « inoubliable » m'a rattrapée, et toutes mes incertitudes et mes doutes m'ont de nouveau assaillie. Impatiente d'entamer le roman, je l'ai ouvert au hasard, et une phrase a surgi :

« *Je n'aurais jamais dû naître !* » disait une Betty.

Après, je n'ai eu aucun mal à me retrouver toute seule, frigorifiée au 7 de la rue Krochmalna. Varsovie. Pologne. En 1936. Dans l'ombre monstrueuse de Hitler.

J'ai passé la nuit dans le ghetto.

Je commence à comprendre pourquoi j'en suis là, mais les zones d'ombre ne manquent pas.

Ghetto

Elle avait froid. Elle s'entoura de ses bras.
Progressivement, elle remonta ses mains à
hauteur de ses épaules. Elle savait bien que
les hommes en uniforme vert cherchaient
à l'éliminer, qu'ils voulaient sa fin, qu'ils
l'avaient programmée.
Elle comprenait aussi que depuis que sa fuite
avait commencé deux semaines auparavant,
aucun indice n'était venu lui laisser espérer
qu'elle s'en sortirait.
Dès le premier jour, elle avait perdu le porte-
monnaie de cuir noir que son père lui avait
confié pendant la rafle.
Elle se recroquevilla derrière le bloc de béton
qui lui servait d'abri. Les latrines puaient et
leur odeur nauséabonde se mêlait aux fumées
de chairs brulées que dégueulaient les hautes
cheminées de briques.
Lorsqu'ILS viendraient, elle ferait la morte.
D'autres morts encombraient l'allée boueuse.
Elle s'en ferait un barrage.

21 décembre 2004

Chapitre dix-sept

JE M'APPELLE SHOAH !

*« Ce n'est pas dans un monde malheureux
que j'ai grandi, mais dans un monde menteur.
Et si la chose est vraiment bien menteuse,
le malheur ne se fait pas attendre longtemps ;
il arrive alors tout naturellement. »*
Fritz Zorn, *Mars*

Oui, je m'appelle Shoah, pas Shosha !
Et Shoah, ça veut dire catastrophe :
Mon nom est CATASTROPHE !!!
Maintenant, j'en suis sûre.
J'ai pensé et repensé au moment de vérité dans le
« bureau des pleurs » : merci Mme Jeanne Trener !

Depuis le début des vacances, je lis et relis le
bouquin qui porte mon prénom écrit noir sur rose.
Ça fait un drôle d'effet. Tout le monde n'a pas un
roman à son nom.
Après chaque lecture, je ressors complètement
sonnée !
Shosha, ce n'est même pas de l'hébreu, c'est du
<u>yiddish</u>.

La langue que parlaient les juifs de l'Est, dans le temps, avant-guerre.

C'est aussi le diminutif de Shoshana qui signifie Suzanne.

Et comme par hasard : Suzanne, c'est le prénom de... Mamzie !

Voilà. Je n'en reviens pas des conséquences en chaîne que cela suppose. Ça ne fait plus beaucoup de doute, à présent : mes origines du côté de ma mère me relient à « À cause de la guerre », à grand-tonton Yanek, sans doute appelé Yan pour faire plus français, et qui en fait, n'était pas polonais comme on m'a fait croire, mais juif, ce qui change tout !

Je porte donc un prénom de Juive, un prénom yiddish.

Je traîne l'énigme d'une histoire de famille.

Je charrie un poids, un boulet, des pierres dans une carrière. « Schnell ! Schnell ! » sous les coups de crosse, un pistolet braqué sur la tempe, les ordres des SS, et les chiens, la bave à la gueule.

La « prof de l'être » avait raison.

Un prénom est une pochette-surprise donnée par un père, une mère. Il faut la dépiauter pour savoir quels bonbons délicieux ou empoisonnés elle contient.

Et moi, c'est un bonbon-poison qui me tue.
Parce que, j'en suis pratiquement sûre :

On ne me la fait pas, à moi et je ne crois pas
que je délire :

Ils ont ajouté un S à SHOAH et hop, le tour était
joué !!!

Exprès ou non, je m'en fous. Le résultat est le
même.

Voilà ce que je me trimbale : un souvenir de
guerre, une étoile jaune cousue pour qu'on n'y
voie que du feu, un malheur indéfini. Mais
justement :

pas de fumée sans feu,
pas de feu sans crématoires,
pas de crématoires sans Juifs !
Shosha ? Présente !
Il ne me manque que le numéro.

Je sais, je divague, mais j'en aurai le cœur net.

J'ai fait un rapide calcul de l'âge du tonton
Yanek. Pendant l'Occupation, s'il était juif, il a très
bien pu être raflé et déporté, avoir subi des horreurs
et ne jamais s'en être remis.

D'accord, peut-être que je me plante, qu'il me
manque encore des pièces du puzzle, mais je me suis
juré de découvrir TOUTE la vérité et pour cela,

trouver au plus vite LA grosse preuve bien accablante, la preuve formelle que je suis juive par ma mère.

Je ne sais même pas l'effet que ça me fait, que ça me fera. En tout cas, cela expliquerait bien des pieux silences, des chuchotements, des regards en coulisses et des larmes essuyées. Impossible de poser la question de front, il va falloir que j'attaque côté parents, par la question « anodine » du choix de mon prénom. Je suis curieuse de savoir quel bobard ils vont me servir, et s'ils feront référence au prénom de Mamzie.

Jeanne Trener me l'a bien dit : la clé est sous mon nez. Et le paquet-cadeau prêt à être déballé !!! Un jour, c'est elle qu'il faudra que je remercie ! En attendant, merci Papa Noël pour ce Noël juif !

Je me demande pourquoi, avant, quand j'étais petite, je ne posais jamais trop de questions sur la religion, ou alors, je ne m'en souviens pas. Chez nous, on n'est... rien et on s'en vante plutôt, au nom de la laïcité, de l'ouverture d'esprit, etc. Moi, je trouve que, du coup, on aurait tendance à pratiquer l'athéisme comme une religion !! Mais ce qui est certain, c'est que Dieu ne fait pas vraiment autorité dans notre famille, ni d'un côté, ni de l'autre.

Dieu, c'est un mot qu'utilise parfois Mamzie, mais plus par automatisme, dans des expressions comme : « Dieu merci » et « Si Dieu veut ». Les rares fois où je l'ai interrogée à propos de ses croyances, elle m'a déclaré, dégoûtée, que Dieu était mort ou alors que c'était un drôle de type, vu les tragédies qu'il avait laissé se produire sur la planète. Du reste, elle ne manquera certainement pas de faire un couplet sur le tsunami qui vient de dévaster l'Asie du Sud-Est cette nuit. De quoi se demander pourquoi ces milliers de victimes, pourquoi tant d'injustice.

Pendant le flash d'info, j'ai cru entendre « en nazi » à cause de la liaison avec Asie. Je continue à être complètement obsédée par 39-45 moi ! Ça ne m'étonne plus vraiment, je commence à comprendre pourquoi. Je m'appelle Catastrophe et toutes les catastrophes naturelles ou criminelles qui se suivent et ne se ressemblent pas, qui font de la terre un immense cimetière me touchent de près : je viens d'une famille qui pue le gaz !

D'ailleurs, ça me donne une idée. Après :

1. la preuve par le lapsus,
2. la preuve par la littérature,
3. la preuve par le prénom,
Il ne me reste plus qu'à faire :
4. la preuve par... le cimetière !!!
J'aurais dû y penser plus tôt !

Le jour de la sortie Bobigny-Drancy, je vais en profiter pour aller au cimetière de Pantin, là où est enterré le suicidé maison. J'ai vu sur un plan que ce n'est pas trop loin.

Je vérifierai si la piste du pendu est la bonne. Et si le tonton Yanek m'aura aidée à éclaircir le mystère !

Personne ne reviendra

Dans quel train, dans quel convoi
T'ai-je entrevu ?
Regard tragique au-delà du désespoir et des
larmes
Je ne connais pas ton nom
Tout est gravé dans mon esprit :
Les faux papiers, l'étoile jaune,
Le roulement des portes cadenassées
La paille puante du wagon à bestiaux
Train des condamnés
Vies brièvement interrompues
Tri sélectif des encombrants
Sur la rampe de sélection
Au bout des rails
« Arbeit Macht Frei ».

Parce que tu as répondu « non » au kapo,
(mais quelle était la question ?),
ici, tu l'as appris cruellement
Il n'y a pas de pourquoi.
Pas de mot pour dire.
Tu as décidé de sauver ton âme
Ce fut surhumain les mois qui suivirent
Sombre et lente torture des jours et des nuits
Debout pieds nus dans la boue glacée

Décembre janvier février
Répondre à l'appel de son numéro
Sous peine de mort
Se souvenir des chiffres
Aboyés en langue assassine

Je cherche ton visage
Au fil des images
Sur l'écran, en noir et blanc
Orbites creuses, corps décharné
Tu deviens ombre au pays des ombres
Jusqu'au charnier.

Je ne connais pas ton nom
Jamais je ne le connaîtrai
Mais je te cherche et je te chercherai
Une partie de moi s'est éteinte avec toi.

22 décembre 2004

Chapitre dix-huit

MI-FUGUE, MI-RAISON

> « Mourir est facile
> la vie est un vaste camp de concentration [...]
> Se suicider revient
> À tromper les gardiens. »
> Imre Kertész, *Liquidation*

> « On peut oublier son passé. Cela ne signifie pas
> que l'on va pouvoir s'en remettre. »
> Frédéric Beigbeder, *Un roman français*

Je suis folle de rage, mais j'ai fait comme si de rien n'était. De toute façon, vaut mieux pas que je la ramène, parce que mes parents n'ont pas été éblouis par mon bulletin arrivé ce matin au petit-déjeuner. Je m'y attendais : il n'y a pas de miracle. Mais eux, ils ne se doutent pas que le pire est à venir en janvier...

J'ai eu du mal à les assurer que je ferai tout pour m'améliorer, progresser, me décarcasser... parce que cela aurait fait un mensonge supplémentaire étant donné ce qui m'attend de la part de Pic, au retour des vacances. C'est bien connu, la vengeance est un plat qui se mange froid. Et avec la Picard, quoi de plus naturel ? J'aurai certainement droit à une grosse promoflash sur le paquet de vengeance surgelée d'un kilo, et à deux couronnes de galette des Rois en bonus.

Je refuse de penser à après. Y a pas d'après. Je fais l'autruche. Et alors ? ! Ça me regarde !!

Pourtant, comme je continue à me ronger à propos de ce « quelque chose de pas net » que je suspecte dans la famille, il a fallu que je fasse comme je me l'étais juré : demander aux parents pourquoi ils m'avaient dégotté ce prénom exotique. J'ai sûrement demandé quand j'étais petite, mais il fallait que j'en aie le cœur net.

Pour commencer, le moins difficile, c'était de demander à Papa. (Ces temps-ci, il a l'air mieux luné. Il a enfin des entretiens d'embauche en perspective.) Ça a été réglé en une seconde chrono :

« J'ai rien eu à dire, ma Shosh'. C'était une idée de ta mère et elle y tenait ! Demande-lui, elle te donnera sûrement des détails ; moi, je ne sais plus bien, sauf que c'était une chance que ce prénom m'ait plu : je ne savais même pas qu'il existait ! »

J'ai été ravie d'apprendre, au passage, que mon père trouvait mon prénom à son goût ! Puisqu'il était inutile d'insister avec un père irresponsable et amnésique, j'ai dû reprendre mon courage à deux mains et, sur ma lancée, j'ai déboulé au sous-sol voir ma mère. Depuis qu'on est dans ce misérable pavillon, c'est comme dans la chanson : Papa est en haut qui lit les journaux, Maman est en bas qui repasse les draps ! J'ai pris mon air le plus détaché et je n'ai pas été déçue de la réponse :

« Pourquoi tu me demandes ça ? Tu ferais pas mieux de t'avancer avec les résultats que tu as eus ? Tu as le bac à la fin de l'année, je te signale. »

Ah bon ? ! Merci du renseignement !! Ma mère est d'une humeur de dogue quand elle fait le ménage. J'ai esquivé habilement et je me suis empressée de baratiner que c'était justement la prof de Lettres qui « nous » avait dit que... blabla, etc ; les origines du nom... les noms des personnages...

Alors, entre deux pshitt éternués par le fer à vapeur, j'ai eu droit à :

« Ton prénom, je l'ai trouvé dans un roman que j'ai lu à peu près à ton âge... d'un écrivain américain qui a eu le prix Nobel... Je ne vois plus... Quelle importance ? Il ne te plaît plus ton prénom, ma Shosha chérie ? »

Elle minaudait comme quand elle est gênée, alors j'y suis allée franco :

— Ce ne serait pas Shosha, d'Isaac Bashevis Singer, par hasard ?

— Ah bon ? ! Peut-être... Tu connais ? Comment ça se fait ? Marrant que tu soies tombée dessus !

Alors, j'ai sorti mon joker :

— Tu t'es jamais dit pas que ça faisait un peu trop... juif, ce prénom yiddish dans une famille de français plutôt chrétiens qui ne croient en rien ?

— Quelle drôle d'idée, ma chérie, bien sûr que non ! Qu'est-ce que tu vas chercher ? C'était juste un prénom doux et original. Et puis, on n'est pas antisémites dans la famille, que je sache, non ?

— Ben, c'est quand même pas pareil que de s'appeler Suzanne comme Mamzie, ou Mireille comme toi... D'après la prof, ça veut dire quelque chose. Par exemple, t'as pas choisi de m'appeler Djamila, Dolorès ou Aminata (des filles de ma classe), non ?

Faux cul, ma mère. Faussement naïve, j'en mettrais ma main à couper. La preuve ? Elle n'a pas relevé au passage l'allusion au prénom de sa mère, ni au yiddish. Je suis persuadée qu'elle se souvenait très bien de l'auteur du bouquin. Je n'ai pas cru un seul mot de son étonnement, et je suis repartie me boucler à double tour dans ma chambre pour réfléchir à la suite de mon enquête, puisque finalement c'en est devenu une.

J'avais prévu de téléphoner au cimetière de Pantin avant d'y aller pour m'assurer de l'emplacement de la tombe du tonton, et y lire enfin « Yan Libert » avec de vraies dates pour être enfin renseignée. Un employé des pompes funèbres très gentil m'a répondu qu'il ne voyait aucune concession à ce nom-là. Que peut-être je faisais une erreur d'orthographe. Il m'a demandé de patienter un moment, est allé consulter les registres. Ça m'embêtait parce que toutes les minutes gratuites de mon forfait étaient en train d'y passer et j'avais peur que ça coupe. Quand il a repris le combiné, il m'a annoncé qu'il n'était sûr de rien, qu'il fallait que je vienne voir sur place :

« Yan... Yanek... ce ne serait pas plutôt "Yankel" le prénom de votre oncle ? Et puis, ce nom de famille... » Il s'empêtrait de plus en plus : « Excusez-moi, mais d'habitude ce ne sont pas des informations qu'on donne par téléphone. D'après moi, ce serait plutôt dans le carré juif n° 128. »

Le « CARRÉ JUIF » !!! JUIF ?

J'étais stupéfaite et en même temps soulagée, furieuse et prête à tout :

VOILÀ, C'EST DIT, C'EST COMPRIS, PAS LA PEINE DE ME PRENDRE POUR UNE IMBÉCILE !

Moi, Shosha,
JE VOUS EMMERDE TOUS !

Vous n'avez pas réussi votre coup ! De Shosha à Shoah, il n'y avait que le serpent d'un S (que je ne me ferai jamais tatouer sur la cheville : message reçu, Maman, et je sais pourquoi !).

Du coup, des souvenirs que je croyais disparus me sont revenus en mémoire et ils ne me lâchent plus :

Flash-back n° 1 : la boîte à photos des dimanches en famille, avec son lot de preuves et d'épreuves compromettantes prêtes à exploser. Autant de bâtons de dynamite à manipuler avec précaution sous peine de déflagration mortelle. Faudra bien que, tôt ou tard, je mette la main dessus. Mais ce ne sera pas simple avec ce cerbère de Mamzie, grande prêtresse des silences sous terreur et des angoisses, dont je commence à soupçonner les pouvoirs maléfiques.

Flash-back n° 2 : sur une séquence très ancienne, un peu floue. Il est tard, je me relève pour aller faire pipi, et en passant dans le couloir, je reste stupéfaite, fascinée : sur l'écran de télé reflété de façon irréelle par le miroir du salon, les images figées d'un film en noir et blanc me saisissent. C'est la première fois de ma vie de petite fille que je vois des corps d'adultes nus... d'une maigreur inhumaine qui me fait me demander s'ils sont morts ou vivants. Si c'est pour de vrai ou pour de faux. J'ai honte d'être happée par ce spectacle, de regarder comme une voleuse, à la dérobée ce film pour les grands sans doute interdit pour mon âge. Mes pieds sont glacés sur les dalles du couloir puis soudain réchauffés : c'est brûlant et mouillé. Je viens de faire pipi dans mon pyjama.

Plus tard, toute propre, bordée serré par Maman, je reste raide dans mes draps. Épouvantée, j'entends dans la pénombre de l'appartement s'élever la voix de mon père. Des éclats inhabituels : et ces mots lancés d'un ton exaspéré :

— Il faudra qu'elle le sache !

— Jamais ! avait crié ma mère.

La porte de la salle de bains a claqué, puis plus rien. Rien que ma peur. Une peur qui me serre la gorge à m'étouffer. Peur d'un meurtre imminent, peur d'une tragédie inévitable dont je serais responsable.

Je crois que c'est à partir de cette nuit que je n'ai plus jamais bien dormi. Mon sommeil d'avant, mon sommeil d'enfant, mon sommeil innocent avait disparu pour toujours, car je venais de perdre dans un même naufrage ma vision tendre du monde et ma confiance en des adultes capables de toutes les ignominies. Des parents incapables de me protéger.

Shosha,

Ça pue le cramé,

Ça pue la fumée des crématoires du camp,

Ça pue le seau à merde renversé dans la paille des wagons à bestiaux,

Ça pue les cadavres pourrissants dans la boue,

Ça pue la mort.

Et je l'accepte.

Demain, si on n'était pas jour férié, si la médiathèque n'était pas fermée, c'est bien le seul endroit où j'irais me réfugier. Quitte à fantasmer sur un wagon, le wagon rouge qui n'y est pour rien m'irait très bien pour aller jusqu'au bout, jusqu'au bout des rails, me faire embarquer là où je n'ai jamais osé penser. Me déporter.

(Super préparation à la sinistre sortie Bobigny-Drancy et à l'autre wagon commémoratif !)

Pour moi, à partir de maintenant, pas question de faire machine arrière : je suis persuadée que ma vérité est devant. Et elle m'attend.

La neige tombe depuis deux heures. Le Velux est recouvert d'un coussin duveteux. J'écris enroulée au chaud dans ma couette à cœurs bleus, et j'ai intérêt à me sentir heureuse vu les reportages qui passent en boucle sur le tsunami d'Indonésie.

Joyeux réveillon, le monde !

Martyre

Ils l'ont démantelée, écartelée, violée, torturée
Nuit et jour, ils lui ont fait subir
Ce que les mots ne peuvent dire.
Ils l'ont fouettée, battue, rouée de coups,
Dépecée
Sans se lasser, sans pitié, ils se sont relayés
Puis, ils l'ont abandonnée dans le fossé
Comme un chiffon déchiré
Et les rats sont venus l'attaquer.
Elle a su leur offrir son âme
Intègre et pure
Ce qui restait de mieux en elle
Ensuite, elle a quitté la vie.

31 décembre 2004

Chapitre dix-neuf

À LA UNE

« Si l'on ne peut pas se débarrasser du squelette
de sa famille, il faut le faire danser. »
G. B. Shaw

« De tous les opprimés doués de parole,
les enfants sont les plus muets. »
Christiane Rochefort, *Les Enfants d'abord*

Comme si on n'avait pas assez de notre manuel, M. Chauvin a demandé qu'on achète tous le dernier numéro de *Paris Match*. En quel honneur ? Parce qu'il y a le témoignage d'une ancienne ministre qui a été déportée à Auschwitz quand elle avait quinze ans. J'avoue que je la connais pas. Moi, la politique... Mais d'après ma mère, cette Simone quelque chose a fait des trucs vachement importants pour les femmes, elle a permis l'avortement ou la contraception, je ne sais plus. Je comprends que ma mère, ça la branche ! J'ai eu le culot de lui demander si cette loi existait au moment de sa grossesse et... OUI ! Bref, j'ai bien compris qu'elle s'y était prise comme un manche côté contraception et interruption de grossesse, et que si elle avait juste pris « le problème » (moi !), à temps, elle ne m'aurait pas eu sur les bras. Au fond, suite au cours de philo sur la notion d'Inconscient, je me demande si ce ne serait pas ce qui s'appellerait de sa part un acte manqué : et peut-être que, quelque part dans sa petite tête de jeune fille, même sans le savoir, elle me voulait quand même ! On a le droit de rêver, non ?

Bon, dixit maître Chauvin, lire l'interview, ça nous sera utile pour la sortie d'enfer (!) à Bobigny-Drancy, et aussi pour mieux poser des questions à la rescapée quand elle viendra.

Décidément, cette visite obnubile le prof, et les 60 ans de la libération des camps aussi. Par moments, il prend des airs d'espion. On sent que cette affaire lui tient tellement à cœur qu'il en a la pétoche. Pour une fois qu'un prof a l'air passionné par quelque chose !...

Dans la classe, certains se plaignent. Ils disent que Chauvin est forcément juif : « trop accro à la Shoah pour être honnête ! », qu'à cause de lui, on ne pourra jamais arriver au bout du programme. Je me demande parfois où va se cacher l'antisémitisme. Ça me révulse. Y aurait donc que les Juifs qui devraient être concernés par les camps ? Alors, le colonialisme, ça ne devrait intéresser que les Noirs et les Arabes, et Jeanne d'Arc au bûcher, uniquement les Français et les Anglais ? Débile !

Papa m'a gentiment rapporté le *Paris Match* en revenant du RER. J'y crois pas : trois semaines à peine que le séisme en Asie a enseveli 82 000 morts, et les journalistes sont déjà passés à autre chose ! Maintenant, sur la couverture, c'est : « *Simone Veil, retour à Auschwitz* », avec sa photo devant les rails. Bon, je veux bien, mais les Indonésiens, alors : dégagés ? Ils n'ont plus qu'à se débattre dans les ruines et à fouiller les décombres ? Ça me choque qu'ils soient déjà relégués à l'intérieur du numéro. Une catastrophe chasse l'autre. L'actualité se périme plus vite que le yaourt !

À propos de catastrophe (et à présent, ça me connaît !), on dirait que j'ai échappé au pire avec la mère Picard. Elle n'est pas revenue sur ce qui s'est passé au dernier cours d'avant les vacances. J'ai eu droit à une grâce présidentielle, ou à un accès d'Alzheimer, ou bien c'est qu'elle me prépare encore un coup foireux.

En attendant, j'en profite et c'est plutôt la sortie Bobigny-Drancy qui me fout les boules. D'ailleurs, je me suis un peu défoulée sur Mamzie qui a appelé hier, au retour du Lavandou. Je me doutais bien que Maman avait cafté à propos de mon bulletin médiocre, alors je l'ai vue venir avec ses gros sabots, essayer de gratter quelques détails croustillants. Mais je l'ai laissée le bec dans l'eau, comme dit Malinette. En plus, inspirée par mes dernières trouvailles judéo-polonaises, je l'ai titillée pour la sonder... et ça a donné un dialogue électrochoc. Bien fait !

— Comment vas-tu ma chérie ? Et ces vacances ? Et ta rentrée ?

— Tout baigne, Mamzie, la vie est belle ! On nous emmène bientôt à Drancy... avec la classe (J'ai bien fait durer les points de suspension !).

Silence de mort au bout du fil. Le choc des mots, comme ils disent dans la pub *Paris Match* ! Alors, par pur sadisme, je lui en ai rajouté :

— T'inquiète, Mamzie, je ne risque rien, c'est juste une visite et puis... y a pas de Juif dans la classe !

Je l'ai sentie salement ébranlée, et j'avoue que ça m'a bien plu. Bien sûr, ce n'était pas pour qu'elle se doute de mon « enquête », mais j'ai pris un malin plaisir à la bousculer, à lui mettre la puce à l'oreille et le nez dans le caca... sans avoir l'air d'y toucher ! (Parfois les expressions style Malinette sont vraiment marrantes !)

Bien sûr, elle s'est raccrochée vite fait aux événements en Indonésie. Mamzie, c'est une pleureuse professionnelle du malheur du monde. Ça lui donne une position de force qui la grandit à ses

propres yeux, à grands coups de noblesse de sentiments et d'apitoiements bidons :

— Tu as vu aux informations, Shosha, tous ces
braves gens... et en plus des pauvres touristes
français qui venaient fêter Noël !

— Ben quoi, Mamzie, pas si pauvres que ça
pour aller bronzer en décembre, et puis, quoi, tu y
crois encore toi, au Père Noël ? Tu sais bien que
c'est une ordure !! Tu me l'as dit cent fois toi
même, que Dieu est mort ! T'as vu ? Jésus non
plus n'a pas levé le petit doigt, c'est pour dire...
Tous noyés ! LI-QUI-DÉS !

— Arrête de rigoler avec ça, Shosha. Ce n'est
pas bien !

— Ah bon ? Et l'humour juif, alors, c'est pour
les chiens ? Y a que les Juifs qui y auraient droit ?
Pourquoi pas moi ?

Quand elle a raccroché, j'ai senti qu'elle se
demandait si cette conversation, c'était du lard ou
du cochon. Mais moi, moi, Shosha-Shoah, l'unique
petite-fi-fille de sa menteuse mémère Suzanne,
j'étais ravie de mon effet !

Rafle

Chacun sa valise pour nulle part.
On part. À l'aube, le départ.
Les policiers rasent les couloirs
Cernent l'immeuble de toute part
Frappent fort aux portes indiquées
Par la concierge sur le palier
Qui récupérera les clés.
De l'index, elle a dénoncé
Les Juifs du 1er, du second, du dernier.
Qu'ils quittent la France, qu'ils déménagent,
Qu'ils partent pour le grand voyage :
ça soulage !

Ils emportent pour tout bagage :
2 couvertures
1 paire de chaussures
2 paires de chaussettes
2 chemises
2 culottes
1 vêtement de travail
1 paire de draps
1 gobelet et si possible un bidon
1 gamelle
1 tricot ou pull-over
1 cuiller

1 nécessaire de toilette
et des vivres pour deux jours au moins ;
d'après la liste réglementaire.
Et couvertures, en bandoulière !

Dans tous les quartiers de Paris,
« Dépêchez-vous. On obéit ! »
Crient les policiers en képi.
« Descendez. L'autobus attend. »
« Et mon mari ? » « Déjà dedans. »
« Et mes papiers ? » « Pas maintenant.
Est-ce qu'il y a d'autres enfants ? »

On ne me sépare pas de Maman :
Une chance, je viens d'avoir seize ans.

12 janvier 2005

Chapitre vingt

UN MORT PEUT EN CACHER...
SIX MILLIONS !

« Vous avez tout vu, bouches muettes et scellées,
dites, wagons de bois et de fer,
où vous menez le peuple juif, où vous l'avez emmené à
la mort ? »
Yitskhok Katzenelson, *Le Chant du peuple juif assassiné*

Je suis absolument incapable de faire la moindre phrase, d'écrire la moindre ligne sur la sortie. De quel droit je ferais du « roman », avec des atrocités que je n'ai pas vécues, des lieux que Chauvin a appelés : « antichambre de l'holocauste » ?

Ç'a été une sacrée épreuve de visiter ces bâtiments de la mort scientifiquement et administrativement programmée. Les mots manquent pour exprimer ce qu'on y ressent. Toutes les phrases semblent imbéciles, les comparaisons obscènes quand on marche le long des rails rouillés.

Étrange, comme moi qui suis archifâchée avec les chiffres, là, il ne me restait plus qu'eux à quoi me fier.

Je n'ai pris en note que les :

- dates et nombres de rafles,
- numéros des arrondissements de Paris, et banlieues,
- nombre d'arrestations des Juifs suivant leurs divers pays d'origine,
- nombre d'autobus et de policiers mobilisés,
- nombre de jours d'internement subits avant départ,
- nombre de déportés entassés dans les wagons,
- nombre de wagons, voitures de « voyageurs » et fourgons à bagages,
- nombre de policiers de service pour escorter,
- nombre et numéros de convois vers Auschwitz,
- nombre de camps de concentration et d'extermination en Europe,
- numéros des matricules tatoués,
- nombre de chambres à gaz,
- nombre d'êtres humains gazés par fournée,
- durée minimale de gazage et nombre de bidons de gaz mortel,
- nombre de tonnes de cheveux, vêtements, bijoux récupérés,
- nombre de morts et de rescapés.

J'ai noté bêtement cette liste atroce. Les chiffres ne font pas du sentiment. D'habitude, c'est la raison pour laquelle je ne les aime pas ; mais pour cette fois, je dois reconnaître qu'ils ont un avantage sur les mots et sur les émotions : ils sont objectifs et indiscutables. Pourtant, derrière la macabre comptabilité de masse, le prof nous a dit de ne pas oublier que la Shoah, ce sont d'abord des individus dont on a voulu anéantir le corps et l'âme. C'est pourquoi chacun des noms est si important et qu'il faut le sauver de l'oubli. Le peuple du Livre a dû ensevelir ses morts dans des textes, faute de tombes pour conserver leur mémoire. J'ai pensé que j'avais encore davantage raison d'enchaîner après sur le cimetière de Pantin. J'aurais jamais imaginé qu'une tombe était un luxe, un registre pour l'humanité. Oublié le ballon blanc de Jacob, 6 ans.

À Bobigny, d'abord, on a traversé le terrain en friche de « la gare de déportation française », on est entrés dans l'immense halle des marchandises où transitaient les internés avant d'être jetés dans les trains. Ensuite, on est allés au camp de « regroupement » de Drancy ; des HLM de la Cité de la Muette, où était parqués tous les juifs raflés de France, hommes, femmes et enfants. J'ai jamais eu aussi froid, j'étais glacée jusqu'à la moelle des os. Partout résonnent encore les gémissements des condamnés, les supplications des enfants perdus, trop petits pour savoir leur nom, les râles des malades et des vieillards entassés dans les escaliers, le désespoir des nourissons. Chauvin ne nous a épargné aucun détail, aucun recoin. Tous ceux de la classe étaient horrifiés, à part un pauvre type qui a ironisé sur « *Les grandes douleurs sont muettes* » croyant faire l'intelligent et détendre l'atmosphère. Mais même les je-m'en-foutistes, les « grandes-gueules », n'en menaient pas large. Avec ceux qui ne se tenaient pas parfaitement à carreau, ça n'a pas rigolé : Missika, la prof d'allemand, a remis en place « ses germanistes » et Blaise a même confisqué un paquet de clopes qui circulait.

Arrivés devant le wagon noir (rien à voir avec le wagon joujou rouge de la médiathèque !), Chauvin nous a montré l'étoile peinte sur les parois et l'inscription :

HOMMES 40
CHEVAUX 8, EN LONG

Il a précisé qu'on y enfermait 100 à 120 Juifs, tellement serrés qu'ils mouraient pendant le voyage, sans eau, sans air, sans la possibilité de s'asseoir, sans dormir, entassés jour et nuit jusqu'à une destination inconnue.

Il était prévu qu'Isabelle Servan nous lirait l'intro de son dossier : « La SNCF, un rouage de la machine nazie », mais elle a à peine cité les vers d'un poète qui a été gazé – que j'ai mis en exergue – qu'elle a fait un malaise sur les marches en fer du wagon. Heureusement, j'avais une bouteille d'eau. Quelle crise elle aurait fait si elle était allée visiter Auschwitz !

L'après-midi, quand on a fini d'arpenter ces sinistres lieux, de prendre des notes et des photos, les profs nous ont libérés : on a eu le droit de rentrer chez nous, soit par nos propres moyens, soit en groupe, sauf Servan, encore toute pâle, qui devait retourner au lycée accompagnée d'un prof : quelqu'un de sa famille venait la récupérer suite à son malaise.

Évidemment, j'attendais avec impatience de me tirer pour me retrouver seule et terminer mon parcours du combattant perso, c'est-à-dire filer au cimetière avant la fermeture. Je me suis paumée plusieurs fois sur le trajet. Tous les carrefours se ressemblaient.

Je hais la banlieue. Elle m'angoisse. L'hiver, c'est encore plus glauque. Complètement sous le choc « déportation », j'ai navigué à vue et, au bout d'un moment, alors que les réverbères commençaient à s'allumer, j'ai demandé mon chemin, rien pigé aux explications et débouché le long d'une longue avenue face à l'entrée de derrière. J'y étais !

J'avais conscience que j'allais vivre un événement historique : mon rendez-vous avec Yanek, si toutefois j'arrivais à trouver sa tombe. J'étais anxieuse de savoir si cela m'apporterait la confirmation de mes hypothèses. Je n'ai pas perdu mon temps !

Au bout de quelques avenues bordées de platanes immenses, après avoir tourné en rond et zigzagué dans des allées parmi les tombes et les monuments funéraires, je suis tombée sur le fameux « Carré juif n° 128 » dont m'avait parlé le croquemort du téléphone, puis j'ai repéré le caveau de granit gris-rose gravé du nom (des noms, plutôt) de :

> YANKEL LIEBERMAN
> (DIT YAN LIBERT)
> (1921-1974)

Posé contre la stèle surmontée d'une étoile à cinq branches sculptée, il y avait un petit livre de pierre blanc portant ces mots en doré :

> À YANEK, NOTRE GRAND FRÈRE
> CHÉRI,
> SES PETITES SŒURS

Il n'y avait plus de doute !

Si les chiffres ne mentent pas, les pierres tombales non plus !

Voilà. J'ai enfin retrouvé une partie de MA vérité et ce n'est pas rien : Tonton Yankel n'était pas juste un Français d'origine polonaise, il était juif et portait bien un nom francisé : nuance !

DONC, moi, Shosha, je ne suis pas une Shosha-par-hasard, je suis juive par ma grand-mère, puis forcément un peu par ma mère. Je sais à quoi m'en tenir sur le mensonge des origines d'une partie de ma famille : tous des Juifs trouillards ! Des Juifs honteux !

MOI, JE SUIS UNE SHOSHA INOUBLIABLE
ET QUI N'OUBLIE RIEN DE LA SHOAH !

Je la porte en moi. On me l'y a mise sans me demander.

Quand je suis rentrée à la maison, j'étais tellement en retard que mes parents étaient fous. Au lycée, personne ne leur avait répondu et moi pas plus, mon portable resté sur répondeur depuis le début de la sortie : ordre des profs. Remplie de mon scoop perso et du secret que je portais (Shosha au club des adultes faux jetons !), je me sentais prête à essuyer n'importe quelle engueulade méritée. Mais la certitude de mon bon droit et de la vérité que je venais de voler me gonflait d'une sorte d'ivresse. Je ne craignais plus rien, je me sentais invincible.

Alors, un peu comme j'avais fait marner Mamzie au téléphone, j'ai vanné à fond, pour voir...

Stéréo des parents :

— Mais d'où tu viens à une heure pareille ? Où tu étais passée ? On s'est fait un sang d'encre !!

— Ben, je reviens de la rafle du Vél' d'Hiv

direction « Pitchipoï ». Ça vous étonne ? ! Mais les
SS ont été sympas avec nous : ils nous ont tous
relâchés, même les profs ! Normal, y a pas de Juifs
dans la classe, juste quelques vagues antisémites
et deux ou trois collabos !

— Ça suffit, Shosha, qu'est-ce que tu racontes,
tu n'es pas drôle du tout, tu deviens folle ou
quoi ? ! C'est insupportable d'avoir une fille qui
débloque à ce point et ne respecte rien !

Ma mère s'énervait en faisant la scandalisée les
yeux au plafond. Quant à mon père, planqué
derrière son ordinateur, il voulait calmer le jeu,
alors il a sonné la fin des hostilités :

« Ce n'est plus de l'humour, ma fille, c'est du
vitriol ! »

J'ai cru percevoir dans son regard une pointe
d'admiration, de bizarre satisfaction, mais je peux
me tromper (et je m'en fous !).

Finalement, comme dans toutes les bonnes
familles qui se respectent, on est passé à table et...
à autre chose.

Bon appétit !

La Flamme

À la mémoire de Yankel Lieberman,
mon grand-oncle

C'était un jour coupé en deux
avec une fausse lumière au bout du couloir
impur.
Le son du vent sifflait comme une balle.

Pris dans les sangles de sa mémoire
Il ferma les yeux.
Une larme coula le long de sa joue maigre.

Plus tard, plus tard, beaucoup plus tard,
On ferma sa bouche d'une pierre
Et de ses cendres, monta une flamme.

18 février 2005 (jour inoubliable)

Chapitre vingt et un

LA MÉMOIRE VOLÉE

> *« Après tout, peut-être que la littérature prend fin*
> *à partir du moment où l'on va dans le monde des morts*
> *à la recherche de personnes*
> *dont on ne connaît même pas le nom. »*
> Patrick Modiano, *Dora Bruder*

Qu'ils s'étouffent en famille avec leur secret de
merde,
Ils ne sauront jamais que je sais.
Je leur en veux d'être
Trop cons.
Trop médiocres.
Trop menteurs.
Trop lâches.
Trop décevants.
Ils ne méritent pas que je me confie à eux.
Pas de raison pour que je fasse le ménage à leur
place.
Chacun son boulot pour sortir de sa vie pourrie.

Moi, Shosha,
Petite-nièce de Yankel Lieberman,

Petite-fille de Mamzie alias Suzanne née Lieberman

Fille de Mireille, ma mère,

Je sais d'où je viens

Je sais qui je suis

Et ça me regarde !

C'est la première nuit de ma nouvelle vie, et on a dit aux infos que dans la soirée, il y a eu une tentative d'incendie du wagon de Drancy à coups de cocktail Molotov, avec tracts et tags de croix gammées. Il est question de l'influence d'un discours de Dieudonné, l'humoriste qui ne fait plus marrer tout le monde. Pourtant, en duo avec Élie Semoun, je le trouvais hilarant.

« Tu vas voir, l'incendie du wagon va être classé "détail de l'Histoire", selon l'immonde définition de Le Pen. » a dit ma mère. On dirait qu'elle a raison : l'antisémitisme n'a pas l'air mort.

Si elle savait... Si elle se doutait...

Étrange de me sentir juive à ce point tout à coup.

Si jamais des soldats viennent frapper à notre porte,

Je sais que ce sera pour Maman et moi.

Pas pour Papa.

Étrange de me sentir juive et reliée à des morts

et des vivants dont je croyais me foutre éperdument avant, sur lesquels je refusais de m'apitoyer. Par peur d'en faire partie, sans doute.

Je suis rescapée et je me le répète. Pas seulement une rescapée de l'utérus ingrat de ma mère. Non. Je suis la survivante d'un peuple que l'on a voulu éliminer de la planète, et je dois exister pour représenter tous ceux qui n'ont pas eu la chance d'en réchapper. Qu'ils ne soient jamais oubliés. C'est comme une nouvelle force en moi. Une raison, ou plutôt une obligation de vivre.

Étrange aussi de me sentir juive et sœur pour la première fois.

Moi, Shosha, sœur d'Anne Frank, de Dora Bruder, et des autres.

J'ai 17 ans, et je ne mourrai ni du typhus, ni de la vermine, ni de faim.

Je resterai vivante. J'écrirai. Je témoignerai pour que vivent les morts.

Je reviendrai de tous les camps :
Auschwitz
Birkenau
Sobibor
Terezín
Belzec
Majdanek
Bergen-Belsen

Ravensbrück
Dora
Dachau
Mathausen
et d'autres encore, en France, en Belgique...

Et je ne me sentirai pas coupable de vivre, moi ! Pas comme ces « revenants » des camps qui ne comprenaient pas « pourquoi moi et pas les autres ? », qui croyaient qu'il y avait eu erreur sur la personne. Qui se sentaient indignes d'avoir survécu :
— à force de se torturer de questions,
— d'être réveillés par des cauchemars,
— poursuivis par des souvenirs aussi indélébiles que leur matricule tatoué.
— À force de n'être ni écoutés ni compris,
— soupçonnés de collaboration avec l'ennemi,
— accusés d'avoir volé leur dernière soupe aux mourants, de les avoir piétinés, ou pire encore : d'avoir tout inventé de l'épisode des camps.

Sans doute, comme le Yan/Yankel. Lui, que lui était-il arrivé ? Avait-t-il fait partie des moribonds rapatriés ? Ses petites sœurs étaient-elles venues chercher leur « grand frère chéri » à l'Hôtel Lutetia ?

Je ne me fais plus beaucoup d'illusions. Je sais que je n'aurai jamais toutes les réponses à toutes les questions que je me pose, que Mamzie et

Malinette resteront aussi muettes que la Cité de la Muette, et je ne compte plus m'acharner à leur extorquer leur vérité.

Pourtant, une chose me tracasse : je me demande si garder le secret sur mon... secret, signifie que j'ai basculé dans le camp des adultes. J'espère pas ! Mon silence à moi n'est pas un vol. Il ne prive personne de rien, il n'empêche personne de continuer à vivre sa petite vie.

Je ne fais que reprendre la part d'histoire qui me revient, gardez la vôtre !

JE SAIS ENFIN QUI JE SUIS, ET C'EST FOU CE QUE ÇA FAIT DU BIEN !

Le jour se lève

D'épaisses ténèbres
nous renvoient à nous-mêmes
La vie est un miroir
Elle nous fait avancer
Qu'on pleure ou qu'on renifle
Qu'on rage ou qu'on refuse
La tête dans les nuages
On cherche des réponses
À ces mondes secrets
Mais sous le ciel obscur
Par-delà les nuées
On s'égare en tous sens
On se sent étranger
Et l'on fouille du regard
Jusqu'aux lueurs du jour
Alors dans la nature
On se sent pauvre humain
On se sent orphelin :
On a grandi enfin.

19 février 2005

Chapitre vingt-deux

S COMME SAUVÉE, V COMME VIVANTE

> « ... j'ai appris que la révolte c'est
> RESTER EN VIE
> la grande désobéissance c'est de vivre sa vie. »
> Imre Kertész, *Liquidation*

> « Il nous est de plus en plus difficile de parler avec
> les jeunes. Cela nous apparaît comme un devoir, et,
> en même temps, comme un risque : le risque de leur
> apparaître anachroniques, de ne pas être écoutés.
> Il faut que nous le soyons. »
> Primo Levi, *Les Naufragés et les rescapés :*
> *Quarante ans après Auschwitz*

Ça alors !
C'était donc elle, « la déportée qui va venir dans la classe » : SIMONE VEIL EN PERSONNE !!!!!

On n'en revenait pas ce matin, en arrivant au bahut pour la « rencontre mémorable ». On a mieux compris pourquoi Chauvin balisait depuis des mois à l'idée que ses chers élèves du « neuf-trois » ne le déshonorent.

On a fait de notre mieux pour ne pas lui coller la honte. Même les plus infects du lot se sont bien tenus. Ce n'est pas n'importe qui, cette femme, elle en impose, elle intimide. De la voir débarquer en vrai, ça faisait franchement bizarre après l'avoir vue en photo dans *Paris Match*.

Au CDI, les sièges à tablette avaient été installés en demi-cercles face au fauteuil de « l'invitée de marque », comme a dit Chauvin. Je me suis débrouillée pour être au premier rang et me suis retrouvée à côté d'Isabelle Servan. « Celle qui tourne de l'œil la première prévient l'autre, OK ? » je lui ai dit, et elle a eu un sourire crispé. Ensuite, le silence s'est fait, les remous ont cessé à grand renfort de sourcils froncés du prof, relayé par la documentaliste. Personne n'osait se lancer pour poser la première question.

En fait, Simone Veil, elle doit avoir environ le même âge que Mamzie, elle pourrait être ma grand-mère. Ça m'a fait drôle de penser ça, surtout quand elle a parlé de ses sœurs. Je me suis sentie proche d'elle pour plein de raisons.

Je me suis accrochée à son regard clair et à mon stylo, et rien d'autre ne comptait plus. J'ai pris des notes non-stop, comme le jour de la sortie Bobigny-Drancy.

Au début, elle parlait lentement et doucement, j'ai pu noter des phrases entières :

« *C'est beaucoup plus qu'une douleur. C'est une histoire. L'histoire de l'extermination des Juifs d'Europe.* »

« *Tout n'était que fumée, boue, cris et hurlements.* »

« *Là-bas, je n'ai jamais pleuré. C'était au-delà des larmes.* »

Et puis, une phrase que j'ai soulignée :

« *Il y avait une férocité. Oui, c'est le mot : une férocité.* »

Là, j'ai failli pleurer. Je regardais ses yeux bleus, ses yeux de jeune fille qui avaient vu le pire de l'histoire de l'humanité, et j'étais à Auchwitz, traquée, attaquée, dépecée moi aussi par la « férocité ».

Ensuite, je ne retrouve que des lambeaux de phrases, des mots en vrac écrits n'importe comment, parce que mon émotion était montée de ma gorge à mes yeux :

Convoi n° 71, parti de la gare de Paris-Bobigny.
Déportée avec sa mère et sa sœur Milou.
Wagon puant. Pleurs des enfants. Malades.
Faim. Soif. Mort.
Destination inconnue.
Auschwitz, le 16 avril 1944 à deux heures du matin.
Aboiements de chiens, hurlements de SS et des kapos sur fond de musique classique.

Rampe.

Sélection.

Séparation.

Dépossession des biens.

Humiliation, déshumanisation, nudité publique.

Coupage des cheveux, rasage complet du corps.

Douche, désinfection.

Tatouage, Matricule n° 78651.

Poux, typhus, dysenterie.

Blocs. Coyat : « cage » de brique pour 5 ou 6 détenues allongées en quinconce faute de place.

Travaux forcés absurdes, transport de pierres, terrassement et creusement de fosses.

Fours crématoires.

Cheminées, fumée nauséabonde.

Odeur de chairs brûlées.

Faim, soif, soif, soif.

Froid de l'hiver, châlits, paille.

Cadavres pestilentiels pourrissant dans la boue.

Attente arrivée Armée rouge.

Marche des détenus sous escorte SS : 70 km par -20° c.

Jambes gonflées, pieds en sang.

Retardataires achevés d'une balle, dans le fossé.

Ses réponses ont fait trembler les murs du CDI, ébranlé nos certitudes, éclairé des faits. J'avais tellement peur de bafouiller que je n'ai pas posé ma question préparée. Isabelle Servan non plus.

« Pour moi, grâce à vous, rien ne sera plus comme avant. » Voilà ce que j'aurais aimé lui dire, à Simone Veil. Et aussi la remercier d'être vivante et d'avoir accepté de venir dans la classe.

Mais je n'ai pas osé.

Au bout de la matinée, elle a remis lentement son élégante veste de tailleur, l'air épuisée comme au retour d'un long voyage. Et c'en était un : un voyage dans la mémoire.

La documentaliste s'est chargée de lui remettre le bouquet de roses parce que le proviseur avait eu un empêchement. Au moment de quitter le CDI, une bande de crétins a eu le mauvais goût de se précipiter sur Simone Veil pour lui faire griffonner des autographes sur leurs Paris Match. Y en a qui confondent rescapée de la Shoah avec vedette de la *Star Ac'*. Pathétique !

En rentrant, ce soir, j'ai relu toutes mes notes et je réentendais sa voix. J'ai « traduit » la dernière phrase prise en abrégé, que je ne suis pas près d'oublier :

H. constit. longue chaîne resp. indiv et collec. & chac maillon précieux qui fait que l'H chavire ou au ≠ avance.

Je viens de la calligraphier en gros au-dessus de mon bureau :

« L'Histoire est constituée d'une longue chaîne de responsabilités individuelles et collectives, et chacun de nous en est un maillon précieux qui fait que l'Histoire chavire ou au contraire avance. »

Moi aussi, Madame, je me sens un maillon, à présent.

Grâce à Yankel. Grâce à vous.

Un maillon de la chaîne de ma famille, un maillon de l'Histoire.

Je suis pour toujours responsable et... complètement... CHAVIRÉE !

Wagon rouge, wagon noir

Wagon rouge sang
Wagon noir de mes morts
Wagons de larmes et de cris
Wagons à bestiaux
Wagons de peurs et de diarrhée
De soif dévorante
Poitrines sèches des mères mourantes
Pêle-mêle de morts et de vivants
Paille puante et souillée
Portes plombées de l'extérieur
Rares trouées ferrées de barbelés

Rejoindre tous les enfants morts de froid et de faim,
Ou réveillés en sursaut et arrachés à leur mère
Dans les « Raus ! Raus ! Schnell ! Schnell ! »
Des barbares en uniforme
Secoués jusqu'au spasme mortel
La tête éclatée contre les murs,
Ou mordus par les chiens
Enfants morts sans linceul, sans sépulture
Corps anonymes et oubliés
Engloutis dans le trou noir du monde.
Charniers.

Enfants des bords de fosses
Aux yeux crevés d'horreur.
L'heure du conte macabre a sonné

14 mars 2005

Chapitre vingt-trois

JOUR J, JOUR POURRI

*« En grandissant, un enfant s'use
à partir du baccalauréat, les enfants se calment
peu à peu jusqu'à ce qu'ils soient tout à fait morts. »*
Réjean Ducharme, *L'Océanthume*

Deux mois sans écrire du tout dans ce cahier à spirale. Je me suis arrêtée à la visite de Simone Veil. Sûrement pas un hasard !

Je reprends en vitesse pour marquer ce premier jour des épreuves écrites du bac d'une croix :
aujourd'hui
jour J
jour pourri
jour de philosophie
c'est fini.

Mais avant, bref résumé des épisodes précédents.

La lutte entre Picard et moi n'a pas débouché sur mon renvoi, mais de justesse. Elle s'est tout simplement déchaînée en prof hargneuse et rancunière sur mon livret scolaire comme promis en début d'année. Sortez une feuille : « Est-ce bien de tenir ses promesses ou n'y a-t-il que les crétins qui ne changent pas d'avis ? » Dissertez ! (Je rigole !)

Donc, fidèle à sa promesse, elle m'a collé une appréciation qui tue :

« *Élève dominée par ses émotions, réfractaire à tout esprit d'analyse. A persévéré dans ses errements et brillé dans le hors sujet.* »

Heureusement que je me suis arrangée pour que les parents ne voient pas ça et que mes notes soient passables dans les autres matières. Quant à M. Chauvin, il m'a royalement mis 18 au dossier et couverte de lauriers. J'ai jubilé le jour de l'inauguration de l'expo, devant mon panneau « L'Art dans les camps » et tous les profs de toutes les Terminales en rang d'oignons. Le proviseur et Picard compris (!) et même Mme Trener qui m'a fait un sourire ! Ça compense. Je dirai même : ça récompense !

Il n'en reste pas moins quelque chose que je ne m'explique pas entre la Pic et moi : je ne sais toujours pas si elle est antisémite, raciste ou simplement « une grosse conne de prof sadique », comme m'assure Isabelle qui ne mâche pas ses mots quand elle se déchaîne. Toutes les deux, on a pris l'habitude d'aller au bistro après les cours, et même parfois au wagon rouge qu'elle trouve extraordinaire. Quitte à tourner de l'œil, autant le faire mollement sur des coussins de velours et entourées de bouquins ! On est d'accord là-dessus. Surtout depuis qu'elle m'a raconté comment son grand-père infirmier algérien résistant a été fait prisonnier en 41 à l'hôpital franco-musulman de Bobigny. Et n'est pas revenu. (Moi, je n'en suis pas encore aux confidences familiales. On verra plus tard si on devient vraiment amies. Mais dans la vie, tous les espoirs sont permis, avec des rimes en I.)

Je passe sur ces dernières semaines de stress des révisions, tous élèves, profs et parents confondus : une drôle de pression !

Ce matin, j'ai failli ne pas me présenter au bac. Impossible de remettre la main sur ma carte d'identité, et j'angoissais à mort à cause du trajet en RER + bus pour ne pas me pointer en retard au lycée inconnu où j'étais convoquée. Papa a proposé de m'accompagner en bagnole. C'était gentil et pas prévu. Sans lui, je ne sais pas ce que j'aurais fait. En plus, il ne m'a pas fait la morale. Il m'a même dit des trucs du genre : « Ma Shosh', je crois à fond en toi. » J'avais jamais entendu ça !

Mais je trouve que c'est encore plus affreux d'avoir des parents sympas quand on sait qu'on va les décevoir encore et toujours !

Parce que, c'est évident : pour l'oral de rattrapage avec le livret scolaire que j'ai, c'est foutu d'avance, et comme je n'ai aucune chance d'avoir le nombre de points suffisant pour passer du premier coup... (même si je me suis pas mal débrouillée en philo, vu le sujet)...

AU SECOURS !
J'EN PEUX PLUS, LA VIE !!!

Jour du bac

C'est le matin du bac
Merde, quel putain de trac !
Ce salaud de réveil m'a tuée
J'aimerais rester sans bouger
pourtant, même si ça me débecte
Faudra bien que je m'éjecte
Alors, voilà que, sauve qui peut
Comme un diable de sa boîte
Je saute de mon pieu
Chez qui squatter ? Et où aller ?
Je sais, on appelle ça fuguer...

Je me suis tirée sans un rond
En tout, dix euros environ
À peine de quoi boire un coca,
Me mettre un truc dans l'estomac
Je tourne avenue d'Amérique
Ensuite, je longe le Prisunic.
Puis, boulevard de la République
Tout droit jusqu'au jardin public.
Je reviendrai, oui, c'est promis
La semaine... des quatre jeudis !
C'est une idée intéressante
Tant pis si elle n'est pas prudente !

Soudain s'élève une voix stridente :
Celle de ma mère archistressante
Elle pousse ma porte et, tout à trac,
« Debout ! fais vite : c'est jour du bac ! »

Mon beau rêve n'était qu'une arnaque.

8 juin 2005

Chapitre vingt-quatre

LETTRE À LA PROFESSEUR DE L'ÊTRE

« Ce ne sont pas les fantômes qui nous hantent, mais les lacunes laissées en nous par le secret des autres. »
Abraham et Torok, *L'Encre et le noyau*

10 juillet 2005

Madame la Professeure de l'être,

Avec vous, j'ai compris <u>ma</u> guerre. Merci !

La guerre que je menais pour vivre, l'accepter, et m'accepter

Ma guerre déchaînée, déclarée contre le monde entier

Ma guerre à moi, et aussi la Dernière.

J'ai la joie (et la fierté) de vous annoncer que j'ai été reçue au bac du premier coup. J'espère que cela vous fera plaisir d'apprendre que vous êtes la seule professeure à qui je l'annonce.

Par miracle, en histoire je suis tombée sur la période d'après la Libération, et en philo, j'ai pris le second sujet : « Le langage nous trahit-il ? » Je ne serais pas venue verser des larmes pour rien dans votre « bureau des pleurs » ! et mon lapsus m'a valu une note mirobolante. Grâce aux deux énormes coefficients de ces matières, j'ai même décroché la mention « assez bien » !

Je vous écris pour vous remercier parce que je me sens arrivée saine et sauve de l'autre côté de la rive d'un long fleuve pas tranquille. Et cette année, la traversée a été plus périlleuse encore. Si je m'en suis tirée, c'est en grande partie à <u>Vous</u> que je le dois. Parce que vous avez su me sauver d'un seul regard, d'une phrase, d'un rire. Vous ne m'avez pas seulement tendu votre boîte de mouchoirs : vous m'avez autorisée à m'emparer de ma vie, à exhumer le fameux « cadavre dans le placard », et, figurez-vous... ils étaient 6 millions !!!

Votre intuition était bonne. Depuis, le S en plus de Shosha est devenu le S de « survivant » et plus du tout celui de « suicide » !

Je ne suis jamais retournée vous voir, et vous avez dû vous poser des questions. Mais j'avais peur que cela se sache et parvienne à la salle des profs. J'avais déjà assez d'ennuis (comme vous avez dû le savoir).

Et puis, je le reconnais, il m'arrive d'être un peu parano... et même jalouse, aussi. Alors, quand je rôdais autour de votre bureau et que la porte était fermée, ça m'égratignait, ça signifiait que vous étiez occupée avec une autre élève que moi !

On dit que l'an prochain vous quittez le lycée. Dommage pour les élèves d'ici qui n'auront plus votre bureau pour les accueillir, mais tant mieux pour ceux qui auront la chance de vous voir débarquer ailleurs.

Je ne sais pas si nous nous reverrons. Un jour, au CDI, j'ai entendu la documentaliste dire que vous écriviez un roman. Je guetterai sa sortie en librairie s'il est publié.

Cela ne doit pas vous étonner : les livres continuent à m'aider, les citations aussi. J'adore la phrase de Frédérik Pajak que j'ai scotchée sur le mur de ma chambre à côté d'une de Simone Veil que j'ai recopiée.

Je vous l'offre. Elle me bouleverse et me donne en même temps de l'espoir :

« *Nous survivrons. Nous vivrons. Nous creuserons une autre vie. Sans gare. Sans quai. Sans horaires. Sans salles d'attente. Sans néons. Sans rails. Sans trains. Sans passagers. Nous dégringolerons un chemin caillouteux, bordé de ronces et d'herbes hautes, jusqu'au bord d'une rivière, devant des arbres qui ouvriront leurs bras au ciel. Et là, soudain, nous reviendrons à nous-mêmes, à ce mince espoir d'être nous-mêmes.* »

Avec tout le respect d'une rescapée, non pas de la Shoah, mais... presque !

Votre Shosha

Chapitre vingt-cinq

TERMINUS : TERMINALE !

« Le monde ne te fera pas de cadeau, crois-moi.
Si tu veux avoir une vie, vole-la. »
Lou Andréas-Salomé, *Mémoires*

« Le passé doit être retenu par la manche
comme quelqu'un qui se noie. Les défunts sont
sans défense et dépendent de notre bon vouloir.
Ils comptent sur notre initiative. »
Alain Finkielkraut, *Une voix vient de l'autre rive*

Moi Shosha, j'ai choisi mon camp.
Le camp des vivants.
Parents, je me nourrirai de votre silence,
Je le doublerai du mien pour mieux l'étouffer.
Sans rancune, mais sans compromis,
Je garderai en moi, le feu de ma colère,
Et je serai un cri.

Enfants morts, je vous bercerai pour consoler
vos âmes,
Je chanterai pour vous à la face du monde,

Jamais les champs de neige et d'oubli ne vous effaceront.

Millions d'assassinés, je réciterai vos noms,
Je les écrirai aux larmes,
au noir de fumée,
au sang coagulé,
sur des pages d'histoire que rien ne pourra effacer.
Je les graverai dans mes livres à venir,
plus profond que dans du marbre,
et quand chacun aura sa pierre tombale,
je renaîtrai de vos cendres.

Ce journal est la preuve de ma mue,
Preuve que la vie continue,
Une peau morte sans contenu,
Je m'en retire, je n'y suis plus.
À moi les terres inconnues,
Je suis née, je m'y habitue.
Je passerai ma vie à dire merde à la mort...
Et je vivrai !

Désormais, je m'appelle ShoshaNa,
Un peu de distance entre la Catastrophe et moi
Ne sera pas de trop : j'y ai droit !

7 juillet 2005
Place de la Jamais-Contente, le 10 août 2010

Chapitre vingt-six !

(Pour toi, mon adorable, ma fille chérie, mon unique enfant, ma ShoshaNa, si un jour tu retrouves ce précieux cahier. Ce jour-là, excuseras-tu mon intrusion ou bien te mettras-tu dans une de tes célèbres colères ?)

Je vais oser ajouter aux tiens ce chapitre supplémentaire, mais je n'ai pas l'intention de rivaliser avec ton talent, surtout en matière de poésie : j'ai été très émue et très fière de lire tes poignants poèmes.

D'abord, voici la meilleure citation que j'aie pu trouver, toi qui les aimes en ouverture de chapitres :

« Petit à petit, les pages s'ajoutent aux pages, et ces détails, ces attrayants souvenirs de famille s'épuisent. Encore quelques paragraphes, et ils seront achevés, et nous entrerons dans le vif du sujet, si ce mot n'est pas exagéré quand il s'agit d'un mort. »
Paul Léautaud, *In Memoriam*

Pas mal, non ?

C'est pourquoi je choisis ce titre pour mon humble chapitre à moi.

LE VIF DU SUJET

Ma ShoshaNa (puisque c'est ainsi que tu exiges qu'on t'appelle depuis tes 18 ans et que je m'y suis finalement habituée comme toute la famille), je sais que tu vas être sensible à l'expression « vif du sujet », toi qui as tant souffert des hors sujet, hors concours, et autres hors de soi... !

Je vais essayer ici, pour toi, d'entrer enfin dans le vif. Cela ne t'étonnera pas que je doive pour cela en passer par la case « mort ».

Ton « Merde à celui qui le lira », je l'ai pris de plein fouet, hier soir, en finissant les cartons de ta chambre, et j'ai passé une grande partie de la nuit à te lire passionnément. C'est après mille hésitations que j'ai fait effraction dans la citadelle fortifiée de ton journal de Terminale. Et je sais que je cours le risque de te déplaire, de briser la fragile confiance qu'il y a toujours eu entre nous. Tes pages me l'ont amèrement confirmé.

Cependant, je ne peux m'empêcher d'espérer que le jour où tu le liras, tu auras un radieux sourire aux lèvres. Un de ces sourires qui m'ont toujours inondée de joie, depuis ton tout premier à la clinique, au lendemain de ta naissance. J'espère aussi que ce sourire ne virera ni aux larmes de rage, ni aux larmes de chagrin par ma faute. Bref, que je ne t'aurais pas définitivement déçue.

Car ce n'est pas poussée par une curiosité malsaine ou abusive que je t'ai lue et que je m'immisce entre ces pages. C'est pour faire écho à ta souffrance d'adolescente, te prendre dans mes bras, même trop tard, bercer ta détresse passée, et répondre enfin à quelques interrogations qui t'ont brisé le cœur, et auxquelles, ni moi ni Mamzie ni personne n'ont été fichu de répondre. Il est plus que temps, n'est-ce pas ? Même si, avec tes propres moyens et armée de courage (et de rage), tu as superbement reconstitué le puzzle familial, retrouvant quelques pièces salement endommagées.

Avant de poursuivre, je dois te dire que cette année-là, je n'avais pas compris ton urgence, ton acharnement à refuser avec tant de douleur, de colère et de hargne les affres de la Shoah. J'en étais fort déstabilisée, voire inquiète. Moi, avoir une fille au cœur de pierre ? C'était le comble, et par ma faute probablement ! Ton père pavoisait. Depuis toujours, il tenait à ce que vérité soit faite et il ne cessait de m'alerter sur les effets contraires, pervers que ce silence familial produisait. Plus d'une fois, nous nous étions disputés à ce sujet, car j'avais du mal à admettre qu'il avait raison de traiter ma mère de « traumatisée incurable » et moi de « névrosée de la deuxième génération » ! Il avait raison. Nous avons eu grand tort de recouvrir pudiquement d'un drap d'oubli les oncles, tantes, cousins, grands-parents, neveux et nièces partis en fumée.

En me rendant complice de ce décret de silence tacite, j'ai participé à l'éradication de tes origines juives, (et pas « polonaises » comme tu sais. Pardon pour les cachotteries puériles, les réponses évasives, les « qu'est-ce que tu vas chercher là, ma Shosh'? » Pardon de n'avoir pas respecté l'éveil de ta jeune intelligence, pris au sérieux ton air décontenancé à nos « À cause de la guerre » et ton droit de savoir qui tu étais. Tu n'en as pas été dupe et tu as eu raison de secouer ce silence.

À propos de ta naissance, contre laquelle tu as tellement fulminé, tu me croiras si tu veux, mais ce tabou familial y était pour quelque chose. Quand j'ai appris ma grossesse, je me suis sentie incapable de devenir mère. J'avais l'âge que tu as aujourd'hui, et tu es une jeune femme épanouie, mais moi, je commençais à peine à me sortir de longues années de torpeur, d'une enfance endeuillée et peuplée de fantômes. Et puis, je ne m'étais pas remise de la mort de mon père dans ce bête accident de tracteur auquel j'ai assisté à la ferme du Lavandou, suivie du suicide de mon oncle Yanek, que j'adorais (j'ai du mal avec « Yankel », personne n'utilisait ce prénom, même pas lui). Il m'a été très proche. Il a comblé un peu le vide laissé par mon père. Mamzie mettait son grand frère au-dessus de tout. J'ai fait de même.

Tu peux imaginer dans quels gouffres nous avons tous sombré.

Mais on ne prêtait aucune attention à ce que je pouvais éprouver. Ma tristesse d'enfant de neuf ans est passée inaperçue. À mon retour de colonie, Yanek était déjà enterré, personne n'ayant cru bon de m'annoncer sa mort et encore moins de m'en préciser les circonstances ! J'ai tout appris tardivement, un peu comme tu l'as fait toi-même et j'ai du mal à comprendre jusqu'aujourd'hui, pourquoi je t'ai fait subir ce qu'on m'avait fait subir de silence. C'est inepte.

Toi petite, si sensible, si observatrice, rien ne t'a échappé de l'ambiance pesante de ces dimanches chez Mamzie, de ce rituel quasi maladif où tu interrogeais, muette, mes yeux rougis. Puis, en grandissant, tu as heureusement poursuivi tes investigations et tu n'en as pas démordu : tu te

sentais volée, et tu avais raison. Ainsi, tu es
parvenue à retrouver la vérité qui t'appartenait :
une grand-mère juive, et une mère qui l'est à
moitié : une moitié qui pèse lourd et a toujours
compté énormément pour moi, contrairement à
ce que tu pourrais croire. Une part de moi que je
serai heureuse de partager au grand jour avec toi.

Merci de ce que tu as fait pour faire advenir
cela. Moitié ou quart juif, ce sont d'immondes
calculs de nazis ou d'apothicaires antisémites,
n'est-ce pas ? Combien pèse une âme ?

Chez Mamzie, tu aurais pu en effet tomber sur
la fameuse boîte. Mais, par méfiance, ma mère l'a,
un jour, soustraite à d'éventuelles curiosités. Elle se
méfiait de nous, et a confisqué à la vue de tous
cette boîte grise pas plus grande qu'un cercueil de
bébé, qui contenait les rares photos
« compromettantes » des disparus de Pologne et
de France. Tout un monde englouti. Cette boîte à
présent est en ma possession. Je l'ai retrouvée
dernièrement en liquidant l'appartement de
Mamzie. Je la tiens à ta disposition. Surtout une
photo en particulier, une seule, car elle contient de
quoi confirmer tes hypothèses : ma photo préférée
de quand j'étais petite.

Il fait beau, c'est à la ferme. Mon tonton Yanek
chéri est venu nous rejoindre dans la famille de

mon père. Cet été-là, c'est un jeune homme, un tonton fou de sa nièce. Il me pousse doucement sur ma petite balançoire. Je ne suis pas rassurée et lui éclate de rire en exhibant des biceps parfaits dans un marcel « plus blanc que blanc » de l'époque. (Eh oui, le fameux « Marcel » que tu suspectais n'était qu'un simple tricot sans manches !)

À présent, approche et regarde son avant-bras gauche. Un peu en dessous de la saignée du coude, près de l'ombre portée de la branche du cerisier. Voilà. Tu y es. Tu sais tout. Cela te saute aux yeux. Ça ne triche pas. Ça fait mal. Tu as enfin la preuve que tu cherchais, la pièce manquante du puzzle.

Comme tu l'as si bien écrit, les chiffres ne mentent pas, surtout ceux tatoués par des hommes sur d'autres hommes. Ceux de Yanek ne lui auraient pas distillé davantage de poison s'ils avaient été tracés au curare. Il a fini par en mourir. C'est, du moins, l'analyse que j'en fais.

À chacun ses solutions.

Mamzie a épousé mon père, un Français bon teint. Ils s'étaient rencontrés au Chambon où Malinette et elle ont été cachées jusqu'à la Libération. Si ma mère m'a appelée Mireille, cela tient du pur bon sens, vu sa phobie de la guerre : c'était une mesure de protection en cas de nouvelles persécutions. (J'ai évité le baptême de justesse et si j'étais née garçon, on ne m'aurait pas circoncis !)

Quant à ton prénom à toi, ma chère Shosha(Na), ce choix a produit un tel scandale qu'il a largement dépassé celui de ta venue intempestive et fait sur Mamzie l'effet d'une bombe. C'est ainsi qu'au lieu de se réjouir de ta venue au monde et d'être devenue grand-mère, elle m'a agoni d'injures au-dessus de ton berceau : « Comment ? Tu as osé utiliser mon propre prénom version métèque ! C'est tout ce que tu lui as trouvé à cette pauvre gosse ! ? »

Je ne sais toujours pas si j'avais fait exprès de choisir la traduction yiddish de son « Suzanne » à elle pour lui faire plaisir, apaiser nos différends, ou par pure provocation inconsciente afin qu'une fois pour toutes éclate la vérité. Il se peut que ce soit lié, mais je ne suis pas aussi branchée psychologie que toi !

Avec une violence inouïe, ma mère m'accusa d'avoir exposé toute la famille au danger mortel du prochain Hitler ; que de t'avoir donné ce prénom équivalait à nous dénoncer tous, à nous coudre l'étoile jaune. À la limite du délire, elle s'en prit même à ton père, à notre couple. Je venais de ruiner tous ses efforts d'assimilation.

Dès lors, elle s'acharna à bétonner un peu plus son savant édifice de non-dits.

Il me fallut des années pour lui pardonner.

Depuis ta Terminale, l'eau a coulé sous les ponts, comme dit Malinette, et tu es, par chance, bien loin de cette époque pénible de ton adolescence.

« Place de la Jamais-Contente », tu n'étais pas la seule à l'être. Mais fallait-il que je râle contre les circonstances qui nous avaient jetés là ? Pouvais-je me plaindre sans risquer de culpabiliser ton père ? Était-ce de sa faute s'il venait de se faire virer de son travail ? N'était-il pas déjà suffisamment déprimé comme cela ?

Un pendu dans la maison, mais pas deux, je me disais, avec l'humour grinçant que nous avons en commun, toi et moi, il me semble. Cet humour juif que tu revendiquais avec le reste et auquel tu as droit !...

Aujourd'hui n'est pas n'importe quel jour. C'est le jour où, grâce à toi, je puise le courage de parler sans honte. Tu m'as sauvée du secret comme tu voulais me sauver du pas d'un géant au retour de ton école. Aujourd'hui est le jour où je commence à vider ce pavillon que tu détestais et que nous allons quitter, ton père et moi, pour retourner à Paris *intra muros*. On te l'a dit après l'enterrement de Mamzie, avant que tu ne coures reprendre ton avion pour terminer ton chantier archéologique.

Tu m'as dit de prendre soin de moi, mais en ce mois d'août sans soleil, peu m'importe de passer mes vacances dans les cartons entre cave et grenier. Au contraire. C'est comme si j'en profitais pour ranger ma tête, ranger mes souvenirs, ranger ma mère et les dernières miettes de sa fin que j'ai vécues auprès d'elle.

Bientôt ton anniversaire. Sais-tu qu'à propos de date, je viens de découvrir une formidable coïncidence ? En cherchant sur Google de quoi mieux situer ton chantier de Pompéi, je suis tombée en arrêt devant un texte de Pline le Jeune (un de ces auteurs latins qui t'ont fait tant souffrir au collège) et vois ce qu'il écrivait le 25 août de l'an 79 (eh oui, ma volcanique fille, le savais-tu que c'était la même date que celle de ta naissance ? !) ; un passage où il raconte l'éruption du Vésuve qui vient d'ensevelir la majorité des habitants de la ville. Cela te sera peut-être utile pour ta thèse, qui sait ?

« On entendait les gémissements des femmes, les vagissements des bébés, les cris des hommes ;

les uns cherchaient de la voix leur père et leur mère, les autres leurs enfants, les autres leurs femmes, tâchaient de les reconnaître à la voix. Certains déploraient leur malheur à eux, d'autres celui des leurs. Il y en avait qui, par frayeur de la mort, appelaient la mort. Beaucoup élevaient les mains vers les dieux ; d'autres, plus nombreux, prétendaient que déjà il n'existait plus de dieux, que cette nuit serait éternelle et la dernière du monde. Enfin, [...] brilla le vrai jour, [...] les objets s'offraient sous un nouvel aspect, couverts d'une cendre épaisse comme d'une couche de neige. »

Pline le Jeune, *Lettres, tome II, Livres IV-VI*

Incroyable, non ? Mais pas plus incroyable que ton orientation vers des études d'histoire, toi qui disais les détester.

Ma chère et unique fille, je ne doute pas que tu écrives un jour de puissantes pages inspirées des catastrophes du passé : thèse, poésies, romans, peu importe, tu as de quoi faire.

Ainsi, grâce à toi, la mort n'aura pas le dernier mot.

Avec amour.

Ta maman

PS. Je ne pense pas raconter à ton père ces

pages croisées « avec toi ». Eh oui, encore un secret ! Ce sera à toi d'y mettre fin si tu le décides.

Je te remercie d'avoir laissé derrière toi ce précieux cahier, mue ou chrysalide. Il m'a permis de te retrouver, belle, entière et en colère. Comme je t'ai toujours aimée. Comme je t'aime.

Pour moi, tu n'as jamais été une catastrophe, mais au contraire l'une des plus belles choses qui me soient arrivées dans la vie.

Ma Shosha, je ne te remercierai jamais assez d'être née !

Biographie

Elisabeth Brami est née à Varsovie après la guerre, de parents rescapés de la Shoah réfugiés en France. Après des études supérieures de Lettres et de Sciences Humaines, elle devient psychologue clinicienne et exerce de 1974 à 2006 dans un hôpital de jour pour adolescents de la région parisienne. En plus de son travail de thérapeute auprès des 13-20 ans, elle y enseigne la philosophie, y crée une bibliothèque, la revue *Lis tes ratures* et des ateliers d'écriture.

Mère de trois enfants, en 1990 elle devient auteure jeunesse et a publié depuis, chez divers éditeurs en collaboration avec de nombreux illustrateurs près de quatre-vingt dix albums et romans dont certains ont été primés (prix France télévision, prix St Exupéry, prix Chronos...) et traduits aux États Unis, en Espagne, au Japon, en Allemagne, en Corée...

En 2006 elle se met à écrire aussi pour les adolescents et les adultes. Son dernier roman *Les Heures secrètes* est paru récemment au Seuil. Pour Elisabeth Brami, la littérature n'a pas d'âge, ses lecteurs non plus.

Bibliographie

Éditions Seuil Jeunesse

1994 – Cent bêtes pour ceux qui s'embêtent
(ill. Zad – Point virgule)

1995 – Les Petits Riens qui font du bien...
(ill. Ph. Bertrand)

1997 – Les Petits Délices à partager
(ill. Ph. Bertrand)

1997 – Moi j'adore, Maman déteste
(ill. L. Le Néouanic)

1999 – Moi je déteste, Maman adore
(ill. L. Le Néouanic)

1999 – Ta Lou qui t'aime (ill. Béatrice Poncelet)

1999 – 2006 – Coll. « Petits Bobos/Petits Bonheurs »
(ill. Ph. Bertrand – 10 titres)

2001 – Ma Lou adorée (ill. B. Poncelet)

2001 – Cher Album (ill. K. Daisay)

2001 – L'Alphabêtisier (ill. L. Le Néouanic)

2002 – L'Agenda des Petits Riens
(ill. Ph. Bertrand)

2002 – Moi j'adore, la maîtresse déteste
(ill. L. Le Néouanic)

2002 – Poèmes à dire et à manger (ill. E. Houdart)

2003 – Poèmes à lire et à rêver (ill. E. Houdart)

2003 – Cent bêtes pour ceux qui s'embêtent
(ill. I. Schoch)

2003 – Petites popotes pour les petits potes
(ill. F. Rébéna)

2003 – Sauve toi, Élie (ill. B. Jeunet)

2003 – Des Espérances (ill. G. Lemoine)

2004 – Poèmes à rire et à jouer (ill. E. Houdart)

2004 – Bonjour bébé (ill. I. Schoch)

2004 – Moi j'adore, maman aussi
(ill. L. Le Néouanic)

2004 – Petites choses pour ceux qui osent
(ill. Ph. Bertrand)

2005 – Rêve de Lune (ill. A. Brouillard)

2005 – Poèmes à vivre et à aimer (ill. E. Houdart)

2006 – Lou pour toujours (ill. G. Lemoine)

2006 – Voyage à Poubelle Plage (ill. B. Jeunet)

2006 – Les Petits bleus au cœur (ill. Ph. Bertrand)

2009 – Voyelles (ill. J. Coat)

Éditions Hachette Jeunesse-Gautier-Languereau

1994 – 1999 – Collection « Drôles de Dicos » :
Dico des sorcières (ill. F. Délivré)
Dico des monstres (ill. E. Houdart)

2002 – Monstres (ill. E. Houdart)

2008 – Les Sorcières (Leboeuf, Jakowski, Susini)

Éditions Casterman

1997 – Les deux arbres (ill. C. Blain)

2004 – L'oiseau-livre (ill. Zaü)
2010 – Le Dico des bébés (ill. E. Jadoul)
2011 – Le Dico des Bêtises et autres cacastrophes (ill. E. Jadoul)

Éditions Thierry Magnier
1998 – Le doudou de Tiloulou (ill. Claire Le Grand)
2001 – L'écrit adolescent (préface Dr Delaroche)
2003 – Il y a des heures qui durent longtemps. coll « Petite poche »
2003 – Roule ma poule (ill. C. Cachin)
2005 – Lol (ill. B. Alemagna – 3 titres)
2008 – Amoureux grave (coll. « PhotoRoman » : photos Ph. Loparelli)
2011 – Colorissimots (photos J.-F. Van Campo)

Éditions Nathan
2007 – Urgent, cherche grand-père !
(ill. M. Le Huche)
2008 – Chère madame ma grand-mère
(ill. C. Gourrat)
2009 – Jamais de la vie ! (ill S. Delacroix)
2009 – La 4e fille du dr Klein (ill Princesse Cam-Cam)

Éditions Albin Michel
2006 – La poche à bébé (ill. T. Schamp)

2008 – L'Anti-Livre de Lecture (ill. C. Faÿe)

Éditions du Poisson Soluble
2007 – Prunelle de mes yeux (ill. K. Daisay)

Éditions Actes Sud junior
2008 – Les Garçons se cachent pour pleurer
(ill. P. Adam)

Océan Éditions
2008 – Un Pantin (ill. E. Brami, texte M.-P. Rivière)
2009 – Qui&Quoi ? (ill. G. Wiehe)

Littérature générale
Éditions Calmann-Lévy
2006 – Je vous écris comme je vous aime.

Éditions du Rocher
2009 – Mon Cher amour

Éditions du Seuil
2011– Les Heures secrètes

N° d'édition : L.01EJEN000492.N001
dépôt légal : janvier 2012
Loi n° 49-956 du 16 juillet 1949
sur les publications destinées à la jeunesse